EVERYTHING YOU ALWAYS WANTED TO KNOW
ABOUT NOVELIZATION

映画
ノベライゼーションの
世界

スクリーンから小説へ

波戸岡景太

小鳥遊書房

目次

第5章　ノベライゼーションの現実　103

第6章　『かいじゅうたちのいるところ』を探して　129

【凡例】

・引用文献は、各章の最後にまとめた。紙幅の都合上、訳書からのみ引用した場合は、原書のデータを省略している。
・本文中における引用元の表示は、（　）に著者名とページ番号のみを記した。
・引用元の表示が原綴りの場合は、引用者による試訳である。カタカナ表記の場合は、引用文献に示した訳書からの引用となり、ページ番号も、漢数字および縦表記の場合は、訳書のものとなる。
・電子書籍やインターネット記事などページ単位でないものは、章番号やタイトルなどをその代わりとした。
・引用文中の〔　〕は引用者による註である。
・書籍や映画のタイトルに続く（　）には、原綴りと現地での公開／刊行年を記した。
・本文中で紹介のみにとどまっている書籍や映画については、書誌情報を割愛した。
・本書の成立には、多数の参考文献が必要不可欠であったが、紙幅の都合上、直接引用することのなかった書誌情報は省略してある。

序　章　ウディ・アレンはノベライゼーションがお嫌い

◉作家の反論、プロデューサーの説得

「映画と同じことが小説でもできるし、その逆も可能だ」（ビョークマン、二〇〇二）と、ウディ・アレンは言う。インタビュー集『ウディ・オン・アレン――全自作を語る』にて、映画と小説の双方に対する想いを吐露したアレンは、その膨大な数の監督・主演作品に加えて、若い頃から多くの短編小説を雑誌に発表し、書籍化してきたことを誇らしげに語ってみせる。映画と書物、脚本と小説。そう、隣接しながらも簡単には混じりあうことのないこれら二つの領域を、この映画人は、誰よりも自在に行き来してきたのである。

しかし、そんな稀有な才能の持ち主であっても、映画を小説化すること、すなわち、ノベライゼーション（novelization）という文芸ジャンルについては、どうやら釈然としない思いを抱えてきたよ

うだ。七〇歳を超えて発表された短編小説集『ただひたすらのアナーキー』(*Mere Anarchy*, 2007)に収められた「売文稼業」("This Nib for Hire")という作品をみてみよう。

「ノベライゼーションというのは知っとるかね?」胃の制酸剤タムズのふたを開けながら彼がたずねた。

「よくは知りませんが」僕は答えた。

「映画の数字がよかったときにだな、プロデューサーがゾンビを一人雇って、映画を本にさせるということだ。ま、言ってみれば、低俗な人間にターゲットを絞ってペーパーバックで一儲けするということだよ。空港とかショッピング・モールの棚に置いてあるガラクタを見たことあるだろ」

「ああ……」僕は、腰のあたりに、はじめは何でもないように思える鬱屈が起こりはじめているのを感じていた。(アレン　五六)

この短編小説に登場するのは、自称大物プロデューサーと売れない作家の二人。映画のなかのアレンを彷彿とさせる冴えない作家は、ある日、傲慢なプロデューサーに呼びつけられる。ひょっとしたら、自分は映画台本の執筆を依頼されるのではないか……と身構える作家(ちなみに、彼はその台本書きすらも嫌がっていた。それでも、『グレート・ギャツビー』を書いた作家だってかつてはそうやって糊口をしのいだのだから、と自分を納得させて面会に挑んだのだ）。しかし、初対面のプロデューサーから告げられたのは、ノベライゼーションの執筆という、想定外の依頼であった。

「プロデューサーがゾンビを一人雇って、映画を本にさせる」。

そんな失礼極まりない説明に気を動転させた作家は、とにかく自分がその「ゾンビ」になるわけにはいかないと、以下のごとく必死の反論を展開する。

反論その一、自分の専門は、純文学である。

反論その二、自分はすでに単行本を出版しており、その本格的な評価はこれからである。

反論その三、仮にノベライゼーションを引き受けるにしても、ツルゲーネフばりの自分の描写力を活かしたい。

さらにこれ以外の反論としては、精神安定剤を飲むために水が欲しいとか、友達が納屋を建てているところだから失礼したいとか、映画のウディ・アレンさながらの、ウェットな内容なのにドライな笑いを誘うセリフが主人公の口を突いて出る。だが、当然のことながらプロデューサーは聞く耳をもたず、矢継ぎ早に作家の説得にかかる。

説得その一、君の小説は、まったく売れていない。

説得その二、たとえ文豪であっても、生活しなくちゃならない。

説得その三、ノベライズしてもらいたいのは、戦前の短編映画『三ばか大将』（*The Three Stooges*）シリーズであり、その内容について今更議論する必要はない。

説得その四、半年の執筆作業で、その後の人生すべてを純文学に捧げられるくらいの大金が手に入る。

説得その五、努力次第では、ノベライゼーションが芸術の域に達することだってあるかもしれない。

と、このように立て板に水の説得を続けるプロデューサーに押し切られた主人公は、その夜、いそいそとノベライゼーションのサンプルを書き上げてみせる。だが、このとき、彼のやる気を一番かき立てたのは、プロデューサーの最後の説得（ノベライゼーションが芸術の域に達することだってあるかもしれない）であり、ひょっとすると自分こそはノベライゼーションという見捨てられた文芸ジャンルの救世主なのかもしれない、との思いに胸を熱くした主人公は、一心不乱にキーボードを叩くのだった——。

◉一九七〇年代のノベライゼーション・ブーム

短編小説「売文稼業」がおおげさに描き出してみせるノベライゼーションの現場は、もちろん、ウディ・アレンのあからさまな偏見に基づくものだ。そもそも、映画を愛してやまないこの監督が、ノベライゼーションという特異な文芸ジャンルを揶揄してみせたのは、本作が初めてではない。たとえば、代表作となる映画『マンハッタン』（*Manhattan*, 1979）では、アレン演じる主人公のアイザックと、ダイアン・キートン扮する編集者のメリーが、次のような会話をしていた。短いやりとりだが、ノベライゼーションに対するアレンのスタンスが、この頃からほとんど変わりないことが分かるだろう。

アイザック　まだトルストイの書評をやってるのかい？
メリー　ううん、それは二日前に終わった。今はノベライゼーションよ。
アイザック　まったく、どうしてノベライゼーションなんかで時間の浪費をするのさ。
メリー　だって簡単だし、お金もいいもの。
アイザック　またしても現代アメリカに特有の、ほんとに愚かしい現象だ。映画のノベライゼーションだなんて、聡明な君の仕事じゃないぜ。いいかい、君は別のことにとりかかるべきだ。
メリー　たとえば何？
アイザック　たとえば小説さ。君の小説を読んだことがある。傑作だよ。

（映画『マンハッタン』のワンシーン、引用者試訳）

あこがれの文豪と、軽薄なノベライゼーションと、そしていつか書かれるべき傑作小説。「売文稼業」とほとんどかわらぬ三点セットが、「作家」ウディ・アレンのオブセッションとして、すでに映画『マンハッタン』に描かれていたことが分かるワンシーンだ。

ちなみに、同映画が制作され公開された一九七〇年代アメリカは、本書第4章で詳しく論じるように、ノベライゼーションという文芸ジャンルの黄金期でもあった。今なお語り継がれる当時の大ヒット作は、ホラー映画『オーメン』(*The Omen*, 1976) のノベライゼーション。映画本編の公開前に発売された同書は、「アメリカ国内で五〇〇万部、世界で七〇〇万部」(Sutherland 61) という、当時の出版界の常識を覆すほどの驚異的なベストセラーを記録した。

同映画の脚本家であり、小説版の執筆も担当したデヴィッド・セルツァーは、当時を次のように述懐している。

映画制作のあいだ、『オーメン』の小説版も進んでいた。斬首シーンの撮影時にはイギリスに行って立ち会い、この映画がすごいものになると確信した私は、家に戻ると五週間で小説を仕上げた。そして、映画公開の二週間前にハードカバーの小説が発売され、とんでもないベストセラーを記録した。私は作家でもないし、それどころか、小説なんてまったく書いたことがなかったのにだ。映画が封切られて、それでまた小説はいっそう売れた。まさに時機を得たというべきだろう。（DVD『オーメン』収録インタビュー、引用者試訳）

こうした当時のノベライゼーション・ブームを想像するにつけ、小説を書くように映画を撮り、映画を撮るように小説を書いていたウディ・アレンが、ほとんど近親憎悪にも似た感情により、この特異な文芸ジャンルと、さらには、その書き手である「ノベライザー」（novelizer）という存在に複雑な思いを抱いてきたのも、ある意味で仕方のないことのように思える。

◉豊饒なる映画ノベライゼーションの世界

それにしても、なぜ小説版『オーメン』（*The Omen*, 1976）は、そこまでのセールスを記録したのだろうか。これは前掲のインタビューで作者のセルツァーも言及していることなのだが、ヒットの背景には、一九七三年に公開された映画『エクソシスト』（*The Exorcist*）の成功がある。これは、七一年に刊行されたウィリアム・ピーター・ブラッディの原作小説とともに大きな評判を得たホラー映画であり、このとき確立された「小説」と「映画」と「悪魔」という三点セットこそは、映画『オーメン』の制作陣が模倣したものだったのである。そして、原作なきオリジナル映画に、原作の代替物としてのノベライゼーションをあてがうといった彼らの試みは、予想をはるかに上回る

【図１】『オーメン』の書影

かたちで、当時の観客／読者の潜在的な欲求に合致した。「まさに時期を得た」というセルツァーの言葉どおり、ノベライゼーションもまた、市場に求められた結果、原作小説と同等の役割を果たすこととなったのである。

ちなみに、同じ頃の日本では、一九六八年に漫画化された横溝正史の『八つ墓村』（原作小説は四九年に雑誌連載開始）が呼び水となり、講談社や角川書店が横溝の過去作品を大々的に売り出していた。ことに若き日の角川春樹は、一九七〇年の段階ですでに、「出版エージェントを通じてアメリカの出版事情の情報を得ており、オカルト・ブームが始まっていることを知っていた」と、評論家の中川右介は指摘する（中川　四二）。図らずも、横溝原作の角川映画第一作『犬神家の一族』の公開は、映画『オーメン』と同じ一九七六年であり、翌七七年、角川映画第二作『人間の証明』のために、あのキャッチコピー「読んでから見るか。見てから読むか。」が誕生することとなる（角川他　五五）。

新作映画を観る準備として、あるいは、映画鑑賞後にその内容を再確認するために、消費者が書店に足を運び、映画と同タイトルの書籍に手を伸ばす。もちろん、原作小説やノベライゼーションの購入理由が、話題の映画を観ずに内容を知るためというケースだってあるだろう。いずれにせよ、スクリーンの存在を念頭においた読者にとって、みずからがお金を落とす書籍の価値は、ただそれがノベライゼーションだからという理由のみでは決定されない。

本書がこれから明らかにするように、この文芸ジャンルに集った有能な書き手たちは、想像を絶するさまざまな物理的制約のなかで、映画公開時のみならず、後世に読み継がれるような作品をも残してきた。そればかりか、ノベライザーのなかには、「オーウェン・ウェスト」の名義でホラー映画『ファンハウス／惨劇の館』（*The Funhouse*, 1981）のノベライゼーションを担当したディーン・クーンツや、「田村章」の名義でフジテレビ系ドラマや映画『宮沢賢治――その愛』（一九九六年）のノベライゼーションを執筆した重松清など、後にベストセラーを記録した作家も少なくなく、文学研究にとって、この分野には発掘調査の余地がまだ充分にある。同様に、ノベライゼーションの資料的価値は、映画研究においても高く、とりわけ、焼失してしまったサイレント・フィルムの内容を検証する際にも貴重な二次資料として扱われている。具体例としては、ロン・チェイニー主演の映画『真夜中のロンドン』（*London After Midnight*, 1927）や、グレタ・ガルボ主演の映画『ディヴァイン・ウーマン』（*The Divine Woman*,1928）などのノベライゼーションを挙げることができるだろう。

さらに、メディア論やコンテンツ研究といった分野においても、ノベライゼーションは有用だ。原作となる映画・小説を漫画化する「コミカライゼーション」などとともに、いわゆる「メディアミックス」の核心をなすものとして重要視されている（ちなみに、これらはいずれも和製英語）。もちろん、

【図2】『真夜中のロンドン』の書影

メディアミックスは海外においても盛んであり、たとえば、グラフィックノベル（物語性の強いコミックスで、日本の劇画に近い）を映画化した『ロード・トゥ・パーディション』（*Road to Perdition*, 2002）のケースでは、原作者のマックス・アラン・コリンズが、映画公開にあわせて自身のグラフィックノベルをあらためて小説化するなど、興味深い事例に事欠かない。

このように、すでにして私たちの文化的風景の一部をなしているノベライゼーションは、出版不況のさなかにある日本においても、一つの希望となっている。邦画であれ洋画であれ、実写であれアニメーションであれ、その映画を活字で読みたいという欲求を満たすために、新刊コーナーには常に「ノベライズ」（これもまた日本独自の呼び方である）が平積みされていることは、きっと本書の読者であれば誰もが承知していることだろう。そして、ともすれば薄利多売のけばけばしいイメージで語られるノベライゼーションを、映画化や舞台化など、同じ物語の変奏を何度となく楽しみたいといった人間の本質的な知的欲求の一形態であると認めるとき、私たちはそこに、新たなる教養の可能性を見出すことになる。

さあ、心の準備が整ったならば、さっそく豊饒なる映画ノベライゼーションの世界に足を踏み入れてみよう。

◉引用文献

アレン、ウディ『ただひたすらのアナーキー』井上一馬訳、河出書房新社、二〇〇八年。

角川春樹、清水節『いつかギラギラする日　角川春樹の映画革命』角川春樹事務所、二〇一六年。

セルツァー、デヴィッド『オーメン　新装版』中田耕治訳、河出文庫、二〇〇六年。

中川右介『角川映画　1976-1986［増補版］』角川文庫、二〇一六年。

ビョークマン、スティーグ編著『ウディ・オン・アレン――全自作を語る』大森さわこ訳、キネマ旬報社、一九九五年。

Sutherland, John. *Bestsellers: Popular Fiction of the 1970s*. Routledge, 1981.

第1章　ノベライゼーションの夜明け

◉文化的トランスレーションとしての機能

ノベライゼーションの歴史は、映画の歴史と重なりあう。連続映画／活劇（Motion Picture Serials）と呼ばれる、シリーズ物のサイレント映画が人気を博していた一九一〇年代アメリカでは、その内容を小説化する最初期のノベライゼーションが出回っていた。エジソン・スタジオが制作したアメリカ合衆国初といわれる連続映画『メアリーに何が起こったのか』（*What Happened to Mary,* 1912）の場合は、その原作となった雑誌小説と、それをもとにした舞台脚本から、一九一三年にロバート・カールトン・ブラウンが一冊のノベライゼーションとして書籍を刊行している。また、同じ一九一三年に制作された連続映画『キャスリンの冒険』（*The Adventures of Kathlyn*）は、雑誌連載と映画公開とを関連づける『メアリーに何が起こったのか』のやり方をビジネスモデルとしたもの

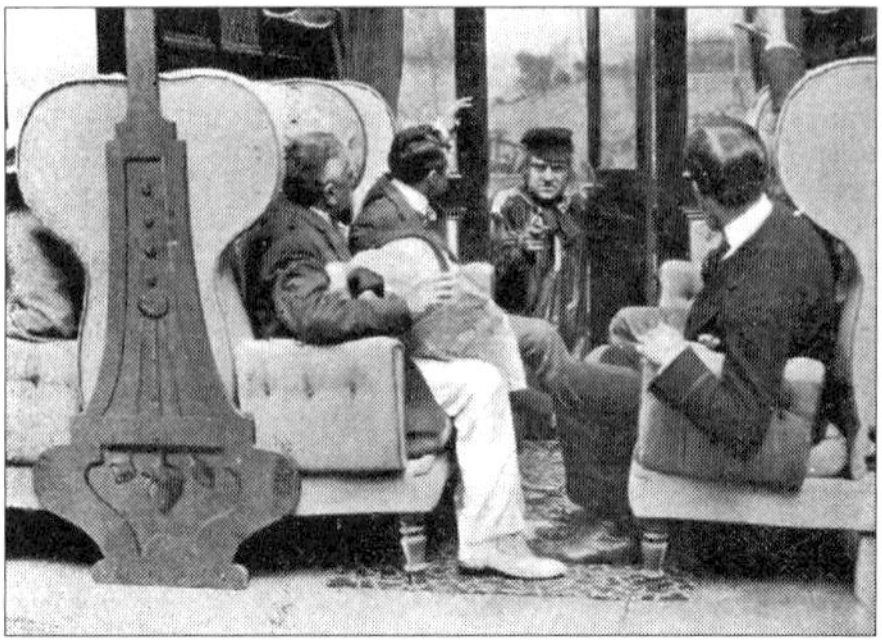
【図3】映画『ジゴマ』のワンシーン

で、新聞の日曜版にハロルド・マクグラスによる最新話が掲載された翌日、一五ドルを支払った興行主のもとにフィルムが届くというシステムが採用された。結果、映画とタイアップした新聞小説が読者を刺激し、観客となった彼らの口コミが新聞の新たな購読者を生み、それればかりか、ブームを察知した興行主たちが『キャスリンの冒険』のフィルムにさらなる投資をするといった好循環が成立したのである。ちなみに、これを企画した「シカゴ・トリビューン」紙には、五万件を超える新規購読の契約があったという（Mayer 32）。

興味深いことに、当時の日本でも、ノベライゼーションの需要が高まっていた。小説化の対象となったのは、レオン・サジイの小説を原作とするフランスの連続映画『ジゴマ』（*Zigomar*, 1911）。この映画が当時の日本社会に投げかけた波紋については、田中純一郎の『日本映画発達史』に詳しい。

この映画が興行されたのは、四四年一一月一一日からで、横浜の貿易商ニーロップ商会から福宝堂が買い入れたもの。便船の都合で一時入荷が途絶えたので、犯罪映画のため遠慮していた「ジゴマ」を倉庫から取り出し、金竜館へ出して見ると意外の大あたり、一ヵ月続映して八千円も上がった（小林喜三郎談）。その頃の金竜館の家賃が月六百円だったというから、どんなにこの映画があたったか想像できよう。

〔中略〕

少年犯罪者が続出するほどの刺戟を与えた「ジゴマ」の興行価値に倣って、粗悪な日本製ジゴマ映画が続出したのは、検閲制度の不備もさることながら、国民性を無視していきなり西洋流のスリルを真似ようとした点に興行者のケチな打算があった。例えば花見寺で作った福宝堂映画「ジゴマ大探偵」「続ジゴマ大探偵」をはじめ、目黒で「日本ジゴマ」「ジゴマ改心録」、大久保で「新ジゴマ」を製作した。また守田有秋は下谷日吉堂から、桑野桃華は本郷有倫堂から「探偵小説ジゴマ」を出版して時流に投じた。（田中　一八四―八五）

こうした「粗悪な日本製」が出回るなか、引用の最後に田中も言及しているように、非公式なノベライゼーションもまた出版された。メディア史研究の永嶺重敏は、このことを著書『怪盗ジゴマと活動写真の時代』のなかで次のように説明している。

もうひとつ、ジゴマブームで注目されるのは、映像と活字の相乗作用でブームが過熱していく「メディアミックス」現象が本格的に出現してきている点である。映画の大ヒットにとどまらず、映画を元にノベライズされたジゴマ探偵小説が競って出版され、また、それがことごとく爆発的に売れるという現代的な状況がこの大正元年の時点で早くも日本に現れてきている。

（永嶺　八）

日本における最初期のノベライズブームは、意外にも、輸入されたてのフランス映画を小説化したものであったのだが、永嶺によると、ブームの主たる原因は、当の映画そのものが鑑賞できなくなったためだという。さらには、公開の翌年から「ジゴマ」の名を冠する非公式なノベライゼーションが乱造され多くの読者を勝ち得たのは、「七月末に明治天皇が崩御し、演劇興行類が自粛となった影響で、読書がにわかに脚光を浴び」たからだとも永嶺は指摘する（永嶺　一二〇）。

以後、大正期の日本では映画のノベライゼーションが一般化し、さらには、佐藤未央子も指摘するように、若き日の谷崎潤一郎なども、みずから執筆した脚本に手を加えて小説化した「映画劇月の囁き」を雑誌に発表したという。

また「月の囁き」を掲載した総合雑誌「現代」大正九年十一月号には、大活が提供した映画「新カルメン」（アメリカ＝ 1920.4.4、日本＝ 1920.9.1、帝国劇場）のノベライズが掲載されている。したがって「現代」は「読物」として「月の囁き」を掲載する土壌を有していたことがわかる。「映画物語本」の流行や、映画誌に加えて総合雑誌にもノベライズが掲載されていたことは、言語によって映画を表現／想起する習慣が大正期において一般化しつつあった事実を示そう。（佐藤　四〇）

ここに明らかにされているのは、日本文学史における映画的想像力の最初期の発露（谷崎の自作脚本のノベライゼーション）と、海外映画を受容する方法論の確立（タイムラグの少ない映画フィルムの輸入と、そのノベライゼーション）の両方が、『現代』という一冊の総合雑誌上でごく自然に行なわれていたという事実だ。また、一九二六年刊行の川添利基著『映画劇・筋と脚本の書き方』をひもとくと、そこには、シナリオ形式などの説明に続けるかたちで、「大阪朝日が募集してから始めて生れた形式」として「映畫脚本の形式を小説化した所謂映畫小説といふ種類のものもあることを忘れてはならないと思ひます」と書かれている（川添　三六）。アジア映画研究者の梁仁實によると、一九二三年元日、大阪朝日新聞は、「長編小説、創作劇（芝居の戯曲を意味する）、映画劇の三種類の文学作品を公募」し、結果、映画劇としては、「当時明治大学法学部3年に在学中の吉田百助が書いた『大地は微笑む』」が当選したという。この作品は、「紙上映画」あるいは「映画劇」という欄名で新聞掲載されたのだが、その形式は、いわゆる新聞小説の形式をとりながら、サイレント映画の字幕に見立てられた部分（重要なセリフや場面転換の説明）が、四角い枠に囲まれて強調されているというものだった（梁　三八―三九）。ちなみに、映画劇『大地は微笑む』は、一九二五年に映画化され、同年「吉田百助原作」というクレジットともに二巻本で朝日新聞社より書籍化された。

このように、映画というメディアを念頭においたノベライゼーションの原型は、さまざまなかたちで一九二〇年代の日本にもあらわれてきたわけだが、それはあの「ジゴマ」を生んだフランスでも変わりはなかったようだ。クリストファー・フォークナーの報告によると、フランスにおけるノベライゼーションもまた、一九一五年、フランスで公開されたルイ・ガスニエ監督のアメリカ映画『拳骨』（*The Exploits of Elaine*, 1914）の続編小説を書くために人気作家ピエール・ドクルセルが起用されたことに端を発し、以後、一九二〇年代に刊行が相次いだ映画雑誌を舞台にして、同国独自のノベライゼーションが多く発表されていった（Faulkner 24）。

さらに、研究書『ノベライゼーション』の著者ジャン・バーテンスによると、当時、「すでに高度なグローバル市場になっていた映画産業において、アメリカとフランスは真っ向から競合していた」という。

パテに代表されるフランスの大手企業は、アメリカの子会社に現地で映画を作らせ、それをヨーロッパに輸出させた。映画をとりまく環境は、産業的、商業的、文化的にも空前絶後の混乱をみせており、それは最初期のノベライゼーションの出版のあり方にも見て取ることができる。一九一〇年ごろの事例を挙げるならば、大手新聞や安価な雑誌に連載があり、ごく一般的な読者のためのコレクションが書籍化されたりしていた。（Baetens 17、強調原文）

国家という枠組みに縛られることなく、その市場を世界に求めた黎明期の映画産業。その熱狂を支えたのはもちろん、言語や思想を介さずに感覚的な理解が可能であるという、映画それ自体の特性であったわけだが、同時に、そうした世界対応型のコンテンツを自国に浸透させる仕組みとして、自国語による「小説化」が大衆の支持を得たことも大きかったのだろう。

すなわち、最初期のノベライゼーションに課せられていた使命とは、映像を文章に置き換えるといったメディア間のトランスレーション（翻訳行為）のみならず、他国の物語を自国の物語に置き換えるといった、文化的なトランスレーションでもあったのである。

◉テア・フォン・ハルボウとアニタ・ルースの翻訳紹介

フリッツ・ラング監督の映画『メトロポリス』（*Metropolis*, 1927）もまた、アメリカという国外の巨大な市場を狙って制作されたドイツ映画だった。ラングがニューヨークに視察に行っているあいだ、ドイツ国内では、妻のテア・フォン・ハルボウが、映画本編の脚本と同タイトルの小説を執筆していた。『メトロポリス』の新訳を手がけた酒寄進一は、当時のドイツにおける彼女のキャリアを以下のように説明している。

〔ドイツにおける〕新作映画の公開本数を見ると、一九一九年が四百七十本、一九二〇年が五百二十本。その後インフレの影響もあって二百本ほどに落ち込みますが、ハルボウはまさに映画界が新しいコンテンツとして脚本を求めていた時代の草分け的存在だったのです。無声映画は、現代の映画のような会話は脚本にほとんど必要とされず、多くが映画の設計図ともいえるようなト書きで構成されていました。地の文と会話文で構成される小説とはまったくちがうものだったのです。ハルボウは小説家から脚本家へ転身し、やがてその両方の文体を融合させていきます。その実験の頂点がまさに小説『メトロポリス』ではなかったかと、ぼくは考えています。（酒寄　三六五―六六）

みずからの脚本に基づきながら、それ独自の作品として、映画公開前に発表された小説『メトロポリス』。それは、通常の意味での原作小説でもなければノベライゼーションでもないが、裏を返せば、（先にみた『オーメン』などの例と同様に）そのどちらの性格をも有しているといえるだろう。
また、酒寄が「新訳」の底本としたのは、一九二七年のプレミア上演の際に制作された限定版の復刻ということで、最初のページにはテア・フォン・ハルボウとフリッツ・ラング、それぞれの言葉がサイン入りで掲げられている。「主題はフォン・ハルボウの考えたことだ」と言うラングは、続けて「しかし映画版を作ったのはわたしなので、半分はわたしにも責任があるだろう」と述べ、『メトロポリス』という物語世界が、あくまでも二人の相互責任のもとに生み出されたということを強調する（ハルボウ〔酒寄訳版〕ページ数なし）。

さて、ラングの映画『メトロポリス』は、独米の公開の二年後にあたる一九二九年に日本上陸を果たしたが、じつは、小説版『メトロポリス』の翻訳紹介は、すでにその前年に行なわれていた。訳者は、後に帝国劇場の社長となる秦豊吉。今あらためてその改造社版の円本（廉価版の叢書）をみるとき、構成として興味深いのは、テア・フォン・ハルボウの『メトロポリス』とともにアニタ・ルースの日記小説『殿方は金髪がお好き』（*Gentlemen Prefer Blonds*, 1925）が、やはり秦訳で収録されている点だろう。

一九五三年のマリリン・モンロー主演映画『紳士は金髪がお好き』（*Gentlemen Prefer Blonds*）の原作小説としても有名な同書は、サイレント映画時代の売れっ子脚本家であるルースの雑誌連載小説（一九二四年）を単行本化（一九二五年）したもので、秦が日本に翻訳紹介した一九二八年には、アメリカ本国にて、ルース本人を含む脚本陣により最初の映画化がなされている。女性雑誌『ハーパーズ バザー』に掲載されるや、これまで同誌を手にすることのなかった男性も購読を始めたという『殿方は金髪がお好き』は、書籍版も空前のベストセラーとなり、ブームが落ち着くまでに何度も版を重ねた。そればかりか、ジェイムズ・ジョイス、イーディス・ウォートン、ウィリアム・フォークナーといった同時代の作家たちもまた、好感をもって同書を受け入れたという（McPhee "Introduction"）。

「ムービーライターの私にとって、自前のヒロインが映画になるなんて想像もしていなかった」（Loos "The Biography of a Book"）と回想するルースは、脚本と小説をまったくの別物と捉えつつも、結果的に「原作」となる小説を執筆し、かつまた、それを自らの手で脚本化していく。厳密にはノベライザーとはいえないものの、脚本と小説の両ジャンルを行き来したルースは、ジャズ・エイジのフラッパーから五〇年代のモンローまでを貫く、アメリカの現代女性像の原型を生み出した。

　ところで、生まれた年も一年違いというアニタ・ルースとテア・フォン・ハルボウは、同時代の同業種ということもあり、その経歴はとてもよく似ていた（【表1】を参照）。日本への紹介者たる秦もまた、この点には特に読者の注意を促している。

> おもしろい事には「メトロポリス」も「殿方は金髪がお好き」も、どちらも現代の女が書いたものです。二人とも年恰好も同じ四十前後の、れつきとした奥様です。そして二人とも世界的に有名な映畫脚本《シナリオ》を書いてゐる閨秀作家です。本巻の二篇は、いづれも有名な映畫になつてゐ

ます。どちらもこの二三年の間に世に出た新しい作品です。

〔中略〕

この二篇の小説は、獨逸《ドイツ》と米國、未來と現代、理想小説と人情小説、科學小説と滑稽小説、等等等《とうとうとう》、よくもこれ程違つたと思はれる位違つた物語です。然し作者である二人の女の境遇は、よくもこれ程似たかと思はれる位似てゐます。そんなによく似た二人から、こんなに違つた二つの小説が出來ました。（秦　一―二）

◀【表1】ハルボウとルースのキャリア比較

	テア・フォン・ハルボウ（独・一八八八～一九五四）	アニタ・ルース（米・一八八九～一九八一）
一九〇〇年代	舞台女優として活動。	舞台女優として活動。
一九一〇年代	大衆小説を発表し読者を獲得。ベストセラー作家になる。最初の結婚（一九一四～二一年）。	脚本家として活躍。巨匠D・W・グリフィスのスクリプトドクターを務める。最初の結婚（一九一五～一九年）。
一九二〇年代	映画監督フリッツ・ラングと結婚（一九二二～三三年）。脚本家として活躍するとともに、雑誌に小説『メトロポリス』を連載（一九二六年）。	映画監督ジョン・エマーソンと結婚（一九一九～五六年）。脚本家として活躍するとともに、雑誌に小説『殿方は金髪がお好き』を連載（一九二四年）。

【図 4】翻訳版『メトロポリス／殿方は金髪がお好き』の扉ページ

世界恐慌やナチスの台頭など、一九三〇年代以降の激動の時代にあって、二人の運命は次第に大きく変わっていくことになるのだが、二〇年代における彼女たちの活躍――サイレント映画の脚本と連載小説の執筆の両立――は、「文学」という枠組みにとらわれない物語の書き手としての実力のほどを示している。彼女たちの創作活動において、脚本と小説と映画は互いが互いを生み出す原動力となっており、そこにいかなる肩書きをあてがおうとフィットしないだろう。

そればかりか、ルース自身がたっぷりと皮肉を込めていうように、「物書きの女性には、怪物的とさえいえる何かがある」。フェミニスト作家のジェニー・マクフィーも指摘するように、アニタ・ルースという作家は――そしてもちろん、テア・フォン・ハルボウも――、メアリー・シェリーやシャーロット・ブロンテの系譜に位置づけられるべき存在であり、既存の「ノベル」を目指しながらも、それを創造的に解体することのできる才能の持ち主だった（McPhee “Introduction”）。一九二〇年代のノベライゼーションとしての可能性を考えるとき、映画界に身を置きつつ執筆に励んだ彼女たちの取り組みは、さらに深く考察されるべきだろう。

●『キング・コング』は誰のもの

映画『メトロポリス』が世界公開された一九二〇年代後半は、サイレントからトーキーへの移行期でもあった。アメリカの映画産業に新規参入が相次ぐなか、独自の技術とネットワークをもった映画会社ＲＫＯは、一九二八年の設立から一九五〇年代半ばまで、平均して年四〇本前後の映画を製作・配給してきたが、なかでも一九三三年公開の『キング・コング』（*King Kong*）は破格の出来であり、ゆえに、映画公開の前年に出版された小説版『キング・コング』（*King Kong*, 1932）もまた、しばしば本格的ノベライゼーションの元祖として紹介されることも多い。同小説の訳者・石上三登志は、二〇〇五年の文庫本あとがきで（翻訳の初版は一九七六年）、このノベライゼーションが辿ってきた運命を簡潔にまとめている。

メリアン・Ｃ・クーパーとエドガー・ウォーレスの映画原案を、デロス・Ｗ・ラヴレースが小説化したこの『キング・コング』は、どうやら長いことその存在が忘れられていたらしい……。

なぜならば、映画が公開された一九三三年（昭和八年）から、なんと三十二年後にもなる一九六五年に、「ペーパーバックに初登場」の触れ込みで、バンタム・ブックス版がほとんど唐突に出て、おおかたはこの時に「この小説」の存在を知ったからだ。〔中略〕そしてさらに十一年後の一九七六年に、つまり『キング・コング』の再映画化（ディノ・デ・ラウレンティス製作）にあわせて、あらためて同社がハードカヴァー化し、この時点で私のこの翻訳（奇想天外社）を含め、この国でもやっと紹介されたのだ。（石上　二六三）

一九七六年版の映画『キングコング』（ラウレンティス監督の本作邦題には「・」がない）は、その十年後にも続編が公開されたが、リメイク作品として世界からいっそうの注目を集めたのは、映画『ロード・オブ・ザ・リング』（*The Lord of the Rings*）三部作で成功を収めたピーター・ジャクソン監督による二〇〇五年版『キング・コング』の方であった。これに関するノベライゼーションとしては、クリストファー・ゴールデンの同名小説のほかに、日本では、小説『アルスラーン戦記』などを代表作にもつ田中芳樹が、独自のノベライゼーションを発表した。

そしてもちろん、この二〇〇五年版にあわせるようにして、石上三登志の邦訳小説『キング・コング』もまた創元社推理文庫として復刊され、本国アメリカにおいては、ペンギン・ランダムハウス社の「モダンライブラリ・クラシックス」シリーズの一つとして、ラヴレースの一九三二年版ノベライゼーション『キング・コング』が刊行されたのだった。

【図 5】田中芳樹版
『キング・コング』の書影

【図6】モダンライブラリ・クラシックス版
『キング・コング』の書影

　さて、この初代『キング・コング』の小説版は、ハリウッドにおけるスタジオ・システムが確立していく最初期に、映画会社側のプロモーション商品としての役割を明示的に託された歴史的なノベライゼーションであった。刊行は一九三二年であり、それが映画公開の前年であるということからも、映画本編の完成前にそれを小説化するという、現代にまで続く商業的ノベライゼーションのパラドクスが、すでにここから始まっていたことが分かる。ノベライザーは、石上も言及しているとおり「デロス・W・ラヴレース」なる作家なのだが、これは二〇〇五年のモダンライブラリ版の表紙を参照したところで、その活字のあまりの小ささにたいがいの人は驚いてしまうだろう。しかも、「エドガー・ウォーレス　アンド　メリアン・C・クーパー」という名前は、その上段二行を使って大書されている。

　これはいったいどういうことか。モダンライブラリ版に寄せられたマーク・コッタ・ヴァズの序文を参考に、この稀代のノベライゼーションをめぐる複雑な権利関係を、できる限り平易に解きほぐしてみよう。

第一次世界大戦にて爆撃機のパイロットを務めていたメリアン・C・クーパーは、終戦後、アメリカ陸軍通信部隊の映像カメラマンであったアーネスト・B・シュードサックと知己を得る。意気投合したクーパーとシュードサックは、一九二二年、「ウィズダム2号」にて冒険に出、このときシュードサックのカメラは、エチオピア帝国の戦士たちを撮影。そうした経験の後に、二人は、先駆的なドキュメンタリー映画『地上』（*Grass: A Nation's Battle for Life*, 1925）、シャム（現タイ王国）のジャングルで人喰いトラと暴れるゾウの群れを撮影した『チャング』（*Chang: A Drama of the Wilderness*, 1927）、そしてアフリカで撮影された劇映画『四枚の羽根』（*The Four Feathers*,1929）を製作・公開していく。

一九二九年から三〇年にかけて、クーパーはいったんハリウッドを離れ、ニューヨークに移住している。そこで商業航空関係のビジネスに携わるも、やはり新作映画のことが頭を離れず、映画監督で冒険家仲間のW・ダグラス・バーデンとともに、彼はアイデアを膨らませ続けた。結局、一九三一年にふたたびハリウッドに戻ったクーパーは、大恐慌のあおりを受けて経営状態の悪化していた映画会社RKOにて、同社の制作部門副社長を務めるデヴィッド・O・セルズニックの役員補佐に就任。映画『キング・コング』の概略をまとめた「本書き」を作成し、イギリスのベストセラー作家エドガー・ウォーレスに脚本化を依頼する。

こうして、『キング・コング』の企画はようやく軌道に乗り始めたのであったが、一九三二年、不運にもウォーレスは肺炎で死去してしまう。それは、書き上がった脚本の初稿をクーパーに送ってからわずか一ヶ月後のことであり、さらに重なった不運とは、そのウォーレスの初稿は、クーパーにとって決して満足のいく出来栄えではなかったということだった。

ウォーレスの初稿をボツにしたクーパーであったが、会社側の意向としては、やはり「エドガー・ウォーレス」のネームバリューを捨てるわけにはいかないという。とりわけ、ノベライゼーションを企画するにあたっては、そのクレジットに、「メリアン・C・クーパー著、エドガー・ウォーレスのオリジナル脚本に基づく（あるいは「の脚色」か「の翻案」とする）」といった表記を用いるようにとの提案があった。たしかに、ウォーレスと生前に交わした契約では、彼とクーパーの双方に、「書籍版および／あるいは続編」についての版権が認められていた。だが、会社としては、ノベライゼーションの権利の問題とは別に、ウォーレスのオリジナリティを宣伝したかったのである。こうした交渉の結果、クーパーは、「エドガー・ウォーレスとメリアン・C・クーパーのストーリーに基づく」という、現在のノベライゼーションにも採用されているクレジットを提案するに至った。

一方で、『キング・コング』の実質的な初稿は、ジェームズ・クリールマンによって書き上げられていた。さらに、シュードサックの妻であるルース・ローズが、彼女自身のガラパゴス島体験をいかしつつ、脚本を完成。ローズが仕上げたその脚本は、セリフやストーリー展開の面においても、クーパーを驚かすほどの仕上がりであったという。

さて、ここでようやくノベライゼーションの執筆が始まるわけだが、あいにくクーパーにはほかの企画も山積しており、かつての知りあい、デロス・W・ラヴレースに白羽の矢が立つこととなった。クーパーがラヴレースと知りあったのは、一九一六年。同じ新聞社に勤めていたのがきっかけであり、その後、クーパーはラヴレースの娘の名づけ親になるなど、個人的な親交を続けてきたのである。かくして、「ウォーレスとクーパー」のストーリーというよりも、むしろ「クリールマンとローズ」の脚本に依拠したラヴレースのノベライゼーションは、一九三二年、無事にグロセット&ダンラップ社から出版された。

以上が、ヴァズによる、『キング・コング』のノベライゼーション誕生の経緯である（Vaz v-xiii）。これらの紆余曲折の結果、初版のクレジットには、「エドガー・ウォーレスおよびメリアン・C・クーパー構想、ジェームズ・A・クリールマンおよびルース・ローズ脚本、レディオ・ピクチャー社版からデロス・W・ラヴレースが小説化」という文言が採用されたのである。

一方で、すでに示したとおり、現在流通しているノベライゼーションのもっとも丁寧なクレジット表記にあっても、クリールマンとローズの名前は見当たらない。このことを踏まえたうえで、実質的に「無」であるはずのエドガー・ウォーレスを筆頭著者同然のポジションに据え、実質的に「有」であるはずのラヴレースをゴーストライター同然に扱う慣例を問題視することは、そもそも物語とは誰のものなのか、という文学にとっても映画にとっても、きわめて本質的な課題に行き着くだろう。

ちなみに、『キング・コング』の著作権をめぐってはいくつもの裁判が起こされてきたが、クーパーの死から五年経った一九七六年、それは正式に息子リチャードのものとなり、リチャードはその後、出版権を除く諸権利をユニバーサル・スタジオに売却した。しかし、「『キング・コング』をとりまく法的環境は変化したけれど、変わらなかったことが一つだけある」とヴァズは私たちに報告する。「ノベライゼーションの著作権だけは更新されることがなく、結局それはパブリックドメインになったのだ」と（Vaz xiv）。

◉『ゴジラ』と原作者の距離

一九六二年、「キング・コング」は海を越え、ＲＫＯとのライセンス契約を交わした東宝映画に出演し、日本を代表するモンスター「ゴジラ」と対決する。『ゴジラ』シリーズ第三作『キングコング対ゴジラ』である。これは製作に田中友幸、特技監督に円谷英二、そして監督には本多猪四郎という、当時の予告編にも「名トリオ」と謳われている三人が八年ぶりに世に問うた娯楽作品であったが（第二作の監督は小田基義）、そのクレジットには、なぜか『ゴジラ』の原作者たる「香山滋」の名前はなかった。一九五四年の映画『ゴジラ』と、それに続く一九五五年の映画『ゴジラの逆襲』

の原作を担当した作家の香山は、じつはこの二作品をもって同シリーズからは距離をとることを、五五年の段階で宣言していたのである。

本来なら、原水爆を象徴する恐怖の姿だから、こわがってもらいたいところ、逆に近親感を生むという不思議な現象をもたらしてしまった。『ゴジラ』が出てくると、観客は笑うのである。声を出して笑わないまでも、クスリと微苦笑するのである。

つまり、漫画的愛嬌をたたえた『ゴジラ』が可愛くおもえ、どんなに乱暴をはたらいても決して憎めないのである。

だから、その愛すべき『ゴジラ』を、手をかえ品をかえて、殺さずにおかぬ筋に対しては、逆に同情と憐憫から、反感をさえ抱かれる始末になった。

ぼくとしては、原水爆禁止運動の一助にもと、小説の形式を藉《か》りて参加したつもりであったが、これでは全く惨敗に近い。〔中略〕

だからぼくは『ゴジラの逆襲』を最後に、たとえどんなに映画会社から頼まれても、続編は絶対に書くまい、と固く決心している。（香山　二六八―六九）

注目したいのは、香山が「小説の形式」という、いささかあいまいな言い方をしている点だ。ここには、映画『ゴジラ』の制作プロセスにおける作家・香山滋の特殊な立ち位置が関係している。同作に関する香山のトークやエッセイを多く収録したちくま文庫『ゴジラ』から、さらに関連する箇所を引用しておこう。


初夏の某日、東宝のプロデューサー田中友幸さんが、わざわざ訪ねてこられて、小生にひとつ映画の原作をお願いしたいと仰言る。

むろん、ぼくに白羽の矢が立てられた以上は、一筋縄でいくストウリー〔原文ママ〕でないことは自分でもわかっているものの、何か水爆を象徴するような大怪物を、おもう存分あばれさせてみたい、という提案には、さすがものおじしないぼくも、一時たじたじとならざるを得ませんでした。〔中略〕

いったいぼくの書くものは、滅法金がかかり、その上想像を絶する特殊技術を必要とするので、映画界からは常に敬遠されつづけてきました。尤もな話でしょう。

だが、今度は、いくら費用がかかっても構わない、どんな六ケ敷《むつかし》いトリックもやってのける──という東宝さんの意気込みは、ぼくを有頂天にさせずには措《お》きませんでした。

（香山　二五三―五五）

かくして、香山はまず台本作りに着手する。同書に再掲された「G作品検討用台本」がそれである。この台本は、村田武雄と本多猪四郎によって決定稿まで仕上げられたため、香山はその決定稿を再度アレンジするかたちで小説版『ゴジラ』を完成させた。この作品は、映画第二作『ゴジラの逆襲』が劇場公開された三ヶ月後に、やはり小説化された「ゴジラの逆襲　大阪編」を併録した書籍『ゴジラ／ゴジラの逆襲』として島村出版から刊行された。ちなみに、『ゴジラ』のノベライゼーションとしては、一九五四年のラジオ用放送台本をノベライズした『怪獣ゴジラ』があるが、これは、龍野敏のシナリオに永瀬三吾が手を加えたものを、香山名義としたものである（竹内　二五二）。

ところで、映画『ゴジラ』の空前のヒットは、その原作者である香山に対する想定外の批判を呼び寄せた。「世間とか、教育者とか、ひいては為政者とかいうものの、薄っぺらなねたみ」にうんざりした香山は、先に引用したように、第二作を最後に『ゴジラ』から身を引こうと決める。このとき、興味深いことに香山は、その脳裏にあの『怪盗ジゴマ』のブームのことを思い出していたのだった――「昔、『ジゴマ』とか、『名金』とか、そういう当時のヒット映画が、少年少女を毒するという理由で上演禁止をくったのと、軌を一にするといったところであろう」（香山　二八八）。

ここにある『名金』（*The Broken Coin*, 1915）とは、『ジゴマ』の四年後に日本公開されたフランシス・フォードの連続映画だ。ふたたび『怪盗ジゴマと活動写真の時代』によると、この作品にも多くの非公式ノベライゼーションが書かれたという。同書では、そうしたノベライザーたちの一人である荒畑寒村に言及し、「新潮社の大黒柱といわれた名編集者中根駒十郎から、『この「名金」を綴って一編の小説に仕上げてくれないか、新潮社とは別の社名で出版したい』と持ちかけられた」（永嶺 一一七）という当人の体験談を引用している。

一九〇四年生まれの香山にとって、これら輸入ものの娯楽映画が、そのノベライゼーションとともに引き起こした国民的熱狂は、幼いころの原風景として、きっといつまでも忘れがたいものであったに違いない。だからこそ、それと同様の風景を戦後の日本にみることとなった香山は、自身の生み出した『ゴジラ』ブームから潔く身を引くことを決意する。

【図7】復刻版『ゴジラ』の書影

もちろん、香山の手を離れた後も、ゴジラは何度となく復活し、スクリーンを占拠した。そして、そのたびごとにノベライゼーションは書かれ、物語は上書きされた。次章では、香山版から、二一世紀のハリウッド版までを概観することで、およそ半世紀にわたるゴジラ・ノベライゼーションの変遷を辿ってみよう。

◉引用文献

ウォーレス、エドガー、メリアン・C・クーパー『キング・コング』石上三登志訳、創元推理文庫、二〇〇五年。

香山滋『ゴジラ』ちくま文庫、二〇〇四年。

川添利基『映画劇・筋と脚本の書き方』事業之日本社出版部、一九二六年。

酒寄進一「訳者あとがき」『新訳　メトロポリス』、二〇一一年。

佐藤未央子「「谷崎潤一郎『月の囁き』考：映画を書く／読む行為の諸相から」『同志社国文学』八三号、二〇一五年、三八—五二ページ。

竹内博「解説　映画『ゴジラ』と香山滋」『［完全復刻］ゴジラ／ゴジラの逆襲』香山滋、奇想天外ノヴェルス、一九七六年。二四四—五三ページ。

田中純一郎『日本映画発達史Ⅰ　活動写真時代』中央公論社、一九八〇年。

田中芳樹『キング・コング』集英社、二〇〇五年。

永嶺重敏『怪盗ジゴマと活動写真の時代』新潮新書、二〇〇六年。

ハルボウ、ルース『世界大衆文学全集　メトロポリス／殿方は金髪がお好き』秦豊吉訳、改造社、一九二八年。

ハルボウ、テア・フォン『新訳　メトロポリス』酒寄進一訳、中公文庫、二〇一一年。

梁仁實「1920年代視覚メディアの一断面——『大地は微笑む』と「朝鮮」」『立命館産業社会論集』第四三巻第一号、

立命館大学、二〇〇七年。三五―五七ページ。

Baetens, Jan. *Novelization: From Film to Novel*. Translated by Mary Feeney, Ohio State UP, 2018.

Brown, Robert Carlton. *What Happened to Mary: A Novelization from the Play and the Stories Appearing in the Ladies' World.* Grosset & Dunlap, 1913.

Faulkner, Christopher. "The Phenomenon of the Film Raconté and the Novelizations of La Règle du jeu." *South Central Review*, Vol. 25, No. 2, 2008, pp. 22-44.

Golden, Christopher. *King Kong*. Pocket Star, 2005.

MacGrath, Harold. *The Adventures of Kathlyn*. Bobbs-Merrill Company,1914.

Mayer, Geoff. *Encyclopedia of American Film Serials*. McFarland, 2017.

McPhee, Jenny. "Introduction to the Liveright Paperback Edition." *Gentlemen Prefer Blondes*, 2014. Kindle.

Loos, Anita. *Gentlemen Prefer Blondes*. Liveright, 2014. Kindle.

—. "The Biography of a Book." *Gentlemen Prefer Blondes*, 2014. Kindle.

Vaz, Mark Cotta. "Foreword." *King Kong*. Modern Library, 2005.

Wallace, Edgar and Merian C. Cooper. *King Kong*. Modern Library, 2005.

第2章　小説化するゴジラたち

◉『ゴジラ』、さらなるノベライゼーションへ

一九八四年、映画『ゴジラ』の新シリーズを立ち上げたプロデューサーの田中友幸は、同時に、大規模なノベライゼーション企画も始動させた。舞台となったのは、同年創刊の講談社X文庫シリーズ。ラインナップは、旧シリーズの第一作『ゴジラ』の再ノベライゼーションと、第四作『モスラ対ゴジラ』のノベライゼーション、そして、新シリーズ第一作となる『新作　ゴジラ』のノベライゼーションであった。

旧シリーズ第一作の再ノベライゼーションは、プロデューサーの田中友幸が監修し、文を海原俊平が担当した。最初に分析してみたいのは、このX文庫のために書き下ろされた海原版の再ノベライゼーションと、前章でみた香山版ノベライゼーションの異同である。なにしろ、第一作の雰囲気

【図8】海原版『ゴジラ』の書影

を映画公開から三〇年後の地点より再現することに腐心する海原は、香山版の二倍以上の文字数をその再ノベライゼーションに費やし、映画本編の背景や登場人物の心理描写にも多くのページを割いているのだ。

　海原版の特徴は、たとえばゴジラに蹂躙されてしまった東京の、次のような描写にみてとれる。


　アナウンサーの声とともに、カメラは火の海となった銀座、新橋、田町、芝浦方面をうつしだした。

（海原　一九八四）


　それは、太平洋戦争のときの東京大空襲を思わせる、地獄のような光景だった。

　ゴジラが通りぬけた東京の中心部は、一面の焼け野原と瓦礫の山となり、まだ消えやらぬ炎と煙が、どんよりとくもる大都会の空をおおっていた。

　その廃墟の中を、家を焼かれ肉親を失った人たちが、あてもなくさまよい歩いていた。

　戦後、ようやく復興した東京の街は、狂暴無残なゴジラのために、一夜にして、十年前の東

京大空襲のときと変わらない焦土となってしまったのだ。（海原　二〇八）

海原版はこのように、ゴジラによる惨状を「東京大空襲」との連想によって説明するのだが、こうした描写は、きっと香山滋ら一九五〇年代の人間にとっては、正確過ぎるがゆえに受け入れ難いものだったに違いない。事実、前掲のちくま文庫版『ゴジラ』に収録された、映画公開当時の座談会記事には、「ゴジラが東京を破壊するところは生々しいが、僕はこいつが逆効果になってると思うんだ」といった作家・城昌幸の言葉がある。対談の一部を引用してみよう。

城　香山君の名は消えてもこの〔ゴジラという〕名前だけは永久に残る（笑）僕は東京に舞台が移る前の島の盛り上りがいいと思う。非常にリアリティがあってね……お世辞じゃないが嵐や津波のトリックも秀逸だ。ゴジラが東京を破壊するところは生々しいが、僕はこいつが逆効果になってると思うんだ。ちょうど戦災の時を思いだして古傷をさわられるような気持だ。そのために香山君の愛すべきゴジラ（笑）が憎らしくなっちゃうんだな、だからゴジラに同情する博士まで憎くなる。
香山　大部〔原文ママ〕手きびしいね（笑）。
城　あそこをユーモラスな架空のお伽話にした方がいい。つまりキングコングみたいに、愛

嬌のある怪物にした方がいいんじゃないか？（香山　二五九）

『ゴジラ』と『キング・コング』のずれを指摘しながら、半ば自嘲気味に城が口にする「古傷をさわられる」といった言葉の響きは、一九八〇年代の海原版があたかも歴史ドキュメンタリーを参照するかのようにして書く「十年前の東京大空襲」という言葉のそれよりも、ずっと痛々しい。だからこそ、「十年前」がいまだ歴史化されていない一九五〇年代半ばにあって、原作者たる香山は、ゴジラのもたらす恐怖が、あくまでも「未来」に対する不安であるのだと強調するのだった。

然し新吉くん、もっと高い所から、よくこの問題を考えてごらん。戦時中、日本の広島に落ちた原爆は、一瞬にして、あれだけの大都市をふっとばしてしまったでしょう。ところが現在、南洋諸島で実験中の水爆は、あの原爆の何百倍かの威力をもっているのですよ。その水爆の放射能を受けたマグロ等を食べてさえも人間は危険だといわれているのに、あのゴジラは、その水爆の影響を受けてもなお、あれだけの力をもっているのです。（香山　九二）

このように熱弁をふるう山根博士は、周知のとおりゴジラに同情的であり、かつまた、古生物学者として、ゴジラの生命力の秘密にとりつかれている。この博士の視点を借りるならば、ゴジラという存在は決して「水爆」とイコールの関係を結ばない。むしろ、水爆という脅威と共存しうる生命の可能性として――すなわち、核と共存していかざるを得ない、一九五〇年代以後の人類を暗示するものとして、香山版ゴジラは想定されていたともいえるのである。映画版でも、このことは、「〔ゴジラは〕水爆の被害者」という山根博士の言葉にあらわれている。

「何百万年も生き長らえた、あの生命力と、あの恐るべき水爆を受けてもビクともしない強靭な生命力は、一体どこから来るのだろうか？　その生命力のほんのちょっぴりでも、人間がこれを得ることができたら……」と、香山版ノベライゼーションのなかの山根博士は続ける。「幸いに、この絶好のチャンスが〔中略〕日本に与えられたのだ。世界中の人々に迷惑をかけた日本人として、この研究を完成させることこそが、そのつぐないをすることのできる唯一つの道なのだ」と（香山九二―九三）。

たしかに、ゴジラが東京にもたらした惨状は、当時の人々にも東京大空襲の「古傷をさわられる」ようなものであったのかもしれない。けれど、少なくとも香山にとって、現在から未来に向かって具体化していく脅威としてのゴジラが東京にもたらした「焦土」は、現在から過去に向かって歴史化されていく、あの「焦土」であってはならなかったのである。

◉一九五〇年代のリアルはどこにあるのか

映画『ゴジラ』にみられる、原水爆に対する直接的な言及としては、列車内での会話シーンが有名である。はじめに、「いやね、原子マグロだ、放射能雨だって、そのうえ今度はゴジラときたわ。東京湾へでも上がり込んできたら、いったいどうなるの」と女性が口にし、それに答えるかたちで蝶ネクタイの男性が、「まず真っ先に、君なんか狙われる口だね」とにやけながら言う。ちなみに、「撮影台本決定稿」では、この台詞は「君なんか　一口でパクリだな」となっている（村田他八〇）。女性はこの言葉を半分だけ真に受けたようにして、「いやなこった。せっかく長崎の原爆から命拾いしてきた、大切な身体なんだもの」とこぼすのだが、今度は彼女の右隣に立つ男性が「そろそろ疎開先でも探すとするかな」とあきらめたように口にするのだった（DVD『ゴジラ』）。

一九五〇年代の「同時代」にノベライゼーションを行なった香山は、その人物設定を、「大人」から「子ども」へといった具合に、海原のそれとは逆方向に改変しているのだが、これにはいったいどのような効果があったのだろうか。

「いやあねえ……原子マグロだ、放射能雨だ、そのうえ今度はゴジラと来たわ……もし東京湾へでも上りこんできたら、私たち一体どうなるの？」

上野駅を発車したばかりの、混雑した京浜線大宮行の電車の中で、中学生らしい二人の学生と前髪を柔かくカールした、かわいらしい笑窪《えくぼ》のある一人の女学生とが話している。

「まず真先に、君なんか一口でパクリだな」

「いやなこったわ、せっかく長崎の原爆から命びろいしてきた、たいせつな体なんだもの……」

「そろそろ疎開先でも考えるとするかな……」

「疎開? 疎開って田舎へ行くこと?」

「しょうがないな、今どきの若い者は、僕たちの若いころは……」

「ハハ……。なによ、僕たちの若いころなんて……、私だって経験者よ」

「いやあ、こりゃあ失敬。それでも覚えがあるの?」

「まあ失礼な!」

女学生は右隣の学生の肩をポンと叩いた。(香山 七二)

たしかに、ここでのやりとりは映画本編とほとんど同じものなのだが、香山は、話者たちの年齢層を極端に下げることによって、それを意図的にイノセントなものへと変えていることが分かるだろう。ことに、「まず真先に、君なんか一口でパクリだな」というセリフの含意するところの変化は明白だ。というのも、映画作品のもととなった「検討用台本」では、香山はこのセリフを、酒場でのたわごととして描き出していたからである。

客「まずまっさきに君なんか、一口でパクリだな。冗談は抜きにして、そろそろ、疎開先でも探すとするか」

女「あら、もうお帰り？……チップもおかずに帰っちゃったわ」（香山　三三九）

こうした酔客の「冗談」が、映画を経たのちに、今度は小説版における中学生と女学生の無邪気な「冗談」へと変わる。このとき、私たちはそこに、戦争を経験しながらもその幼さゆえに気持ちのうえでは戦後世代に属しているといった、当時の少年少女たちのリアルを知ることになるだろう。

もちろん、このような変更の背景には、香山のノベライゼーションが「少年文庫」として発売されたことも大いに関係しているはずだ。そもそも、香山版ノベライゼーションにおける「恵美子」は、映画版とは異なり、まだ高校を卒業したばかりという設定であった。そればかりか、彼女の物語上のパートナーとされるのも、「信州へ疎開していた当時、これも大戸島《おおとじま》から疎開してきていて仲よしになった、同い年の新吉少年」だったのである（香山　一四）。

かくして、映画ではゴジラ退治そのものが相対化されてしまうほどにドラマ的要素を負った男女の三角関係（恵美子の父が婿養子にと思っている芹沢博士と、恵美子と結婚の約束をしている尾形とのあいだの関係）は、香山版ノベライゼーションにおいて無効化される。つまり、ここでの香山の狙いは、あの列車内でゴジラを噂することになった二つの異なる世代――映画における「戦争を知っている世代」と、ノベライゼーションにおける「戦争を（精神的には）知らない世代」――のはざまに「恵美子」と「新吉」を据えてみせることにあったのだ。その結果として描き出されたのは、一九五〇年代半ばにあって無垢のままでも古傷を抱えているのでもない、もう一つのリアルな世代の姿だったのである。

◀【表2】旧シリーズ第一作『ゴジラ』における会話「一口でパクリ」を構成している人物たちの異同

一九五四年	夏	台本「G作品検討用台本」 ▶酒場での、店の女性と男性客の会話	作・香山滋
	一一月	映画『ゴジラ』（東宝） ▶電車内での、会社員（女性一名、男性二名）の会話	監督・本多猪四郎　脚本・村田武雄、本多猪四郎　原作・香山滋
一九五五年	七月	小説「ゴジラ　東京編」 ▶電車内での、子どもたち（女学生一名、中学生男子二名）の会話	作・香山滋 ＊「ゴジラの逆襲　大阪編」とともに『ゴジラ／ゴジラの逆襲』（島村出版）として刊行
一九八四年	四月	小説『ゴジラ』（講談社X文庫） ▶電車内での、ダンサーの女性と連れの男性の会話	監修・田中友幸　文・海原俊平

◉「歴史化」されるゴジラ

一方、一九八四年の海原版では、映画のなかの「大人」たちはその職業を改変され、勤め人からダンサーへと置き換えられている（前ページ【表2】）。

国電の中では、つり革にぶらさがったダンサーらしい若い女が、ゴジラの新聞記事を見ながら、連れの男に話しかけていた。

「いやあねえ、今年の春から、原子マグロだ、放射能雨だとさわいでいると思ったら、今度はゴジラときたわ。もし、東京湾へでも入りこんできたら、いったいどうするの？」

「まず真っ先にきみなんか、ねらわれるくちだな。」

男が女をひやかした。

「いやなこった。せっかく長崎の原爆から命びろいしてきた、たいせつな体なんですからね。」

〔中略〕

「政府の対策本部はいったいなにをやっているのだろう？　こんなときこそ、自衛隊が出動して、ゴジラをやっつけてくれなきゃ……。」

「今年生まれたばかりの自衛隊じゃ、あの水爆ゴジラとは戦えないわよ。」

（海原　一〇〇一）

このように、映画『ゴジラ』第一作の公開年が、自衛隊の設立年と同じであることを強調する海原は、時代考証による映画作品の「再表象」というよりも、あくまでもこの映画の「歴史化」にこそ力を注いでみせる。こうした態度は、同文庫の解説を担当した鏡明の言及する、スーザン・ソンタグの批評とも呼応するだろう。

日本産の怪獣映画は、しばしばジョークのタネになる。たとえばスーザン・ソンタグという、今では大評論家になってしまった女性がいる。彼女の名を高めることになった「反解釈」という評論集の中に、これまた有名な「キャンプとは何か」という評論があって、キャンプという六十年代特有の美意識を定義するのに、日本の怪獣映画をキャンプの代表的な例の一つとして挙げていた。

キャンプという感覚は、ほとんど説明が不可能なものだけれども、悪趣味とか、馬鹿げたものが面白さに転化していく感覚と言ってみるか、どちらにしろ、怪獣映画にとって、名誉というわけにはいかないだろう。

それでも「ゴジラ」だけは、例外的に、キャンプの中には含まれないように思う。

（鏡　二五〇）

鏡は否定的に紹介しているが、ソンタグはその評論において、『キング・コング』ももっている「キャンプ性」を、『空の大怪獣ラドン』（一九五六年）、『地球防衛軍』（一九五七年）、『美女と液体人間』（一九五八年）といった、いずれも本多・円谷・田中の『ゴジラ』トリオによる作品にも見出そうとしていたことは事実である。その理由を述べてソンタグは、「これらの作品が、比較的肩を怒らさず通俗的である点で、『渚にて』などよりも極端で無責任な幻想をたくわえ——したがって、感動的でしかも充分に楽しめるから」としている（ソンタグ　四四八）。

ソンタグはまた、同書収録のエッセイ「惨劇のイマジネーション」においても、映画『タイム・マシン　80万年後の世界へ』（*The Time Machine*, 1960）のジョージ・パル監督とともに、本多猪四郎が「技巧的に最も優れ、また視覚的にも最も刺戟的《しげき》」な監督であると賞賛する。そのうえで、これら一九五〇年代以降の空想科学映画が、『キング・コング』に代表される一九三〇年代のものとは無邪気さの点において大いに異なっているということ、すなわち、「歴史的状況の現実が惨劇に対する想像力を拡大」している点において視覚的な強さをもち得ているのと指摘するのであった（ソンタグ　三三八–四一）。

つまり、一九六〇年代的な感性に訴えかけてくる「キャンプ性」をもつものとして、ソンタグは、近過去の娯楽映画たる『ゴジラ』的な怪獣映画と『キング・コング』を同等に扱いつつも、第二次世界大戦から冷戦にいたる現実の深刻さを肌に感じつつ作られた一九五〇年代以降の怪獣映画には、『キング・コング』にはないリアリティがあると考えていたのだろう。この点において、ソンタグの見解と、先の鏡による文庫解説は、ほとんど矛盾なく重なりあうことになり、それはそのまま、過去作品を「歴史化」しようとする海原版ノベライゼーションの企図を説明することになったのである。

◉ハリウッドのノベライゼーション

時は下り、第一作『ゴジラ』からちょうど六〇年が経過した二〇一四年、ハリウッドでは二度目となる『ゴジラ』のリメイク作品が公開された。監督は、イギリス出身のギャレス・エドワーズで、公開当時三九歳。映画タイトルはそのまま『GODZILLA　ゴジラ』(*Godzilla*)とされ、そのノベライゼーションは、アメリカでも有数の人気ノベライザーであるグレッグ・コックスに任された。とあるインタビューに答えて、コックスはその作業工程を次のように語っている。

あらかじめ映画本編を観るということはないんだ。いつも撮影と同時進行で本を書いている。どうするのかというと、脚本とか、そのとき入手可能な視覚素材はなんでも渡してもらうんだ。

プレプロダクション・アートやスケッチ、メディア用の写真に、あれば予告編の見本も。そして、撮影スタジオとは連絡をとりあい、聴きたいことがあったら答えてもらう。（「雌のムートーは、ゴジラと比べてどれくらいの大きさかな？」とか）
〔完成した〕『ゴジラ』を観るタイミングはみんなと同じさ。地元のシネコンの初日だよ。
(Johnson "Interview")

その飄々とした口ぶりに、ノベライゼーション・ファンもおもわず拍子抜けしてしまいそうなほどだが、何よりも、試写段階にあっても映画本編を観ることなく、さながら答えあわせのような気分で「地元のシネコン」に向かうというのは、いったいどういう心境だろうか。ことに、今回の二〇一四年版『ゴジラ』のノベライゼーションにおける最大のミッションとは、まだ全貌が明らかになってはいないエドワーズ版ゴジラの姿かたちではなく、その敵となる新たなキャラクター「ムートー」――すなわち「未確認巨大陸生生命体」（Massive Unidentified Terrestrial Organism、略してMUTO）という、文字どおりいまだ誰にも確認されたことのない存在を、映画公開前の段階で読者に紹介することにあるのだ。

果たして、最初にスクリーンに全貌をあらわしたのは、オスのムートーであった。コックスはこの生命体を、次のように描写している。

貝殻のような硬い物質でできた黒玉虫色の外骨格が、どこか昆虫を思わせる巨獣の体を覆っている。肢は少なくとも六本はあり、大きさはさまざまだ。体重の部分を支えているのは、くるぶし部分の関節が後ろ向きについた、がっしりとした後肢。鎧で覆われた肩からは細長い肢が伸びている。胸の部分からは、ほかの足よりはるかに小さな二本の前肢が突きだし、カマキリの鎌のように見える。ガラガラヘビのような平たい三角形の頭の下から、ぎらぎら光る赤い目がちらりとのぞいていた。大きな鉤形のくちばしから唾液が滴りおちている。人間の想像力をあざ笑うかのような途方もない巨体。全長が六十メートル近くはあるだろうか。

（コックス　一三六―一三七）

貝殻、昆虫、カマキリ、ガラガラヘビ……となじみのある名詞をならべていくコックスの描写は、異なる種を組みあわせたキメラとしての怪獣の成り立ちを、読者の目の前で丁寧に分解してみせる。実際の映像では、ほとんど視認不可能なほどのディテールを、ノベライゼーションは、映画鑑賞の前（あるいは後）に教えてくれるのだ。コックスはさらに、映画にはなかったムートーの変態シーンも次のように描写してみせる。

だが、次の瞬間、背中に平行線を描くように二本の長い亀裂が入りはじめた。破裂した殻の下からぎらぎら光る突起が現れたかと思うと、不気味に蠢きながら、ステルス戦闘機を思わせる黒く光る翼になった。血液が送りこまれた翼は硬くなり、鱗状の膜の下に太い血管が浮きでている。濡れてかすかに光る翼が伸びたり曲がったりしはじめた。（コックス　一三七）

ここでもやはり、その翼ははっきりと「ステルス戦闘機」という直喩によって説明されるのだが、そのたとえはそもそも、監督たちが企画段階から提示していたアイデアであり、コックスはこれを、できるだけ加工しないようにして読者に届けたに過ぎない。

こうして、コックスのテクスト上には、カマキリの鎌のような前肢とガラガラヘビの頭をもち、背中からはステルス戦闘機のような未来仕様の翼を生やした、貝殻のように固い外骨格に覆われた巨大な昆虫……という、構成要素のきわめて明確なモンスターが出現することとなった。ただし、これはあくまで設定の羅列であって、モンスターのドラマチックな描写とは言い難い。このことは、視覚的な情報伝達に、作家の個性があらわれると思われがちなノベライゼーションの性質に反しているようだが、ジャン・バーテンスの主張に従うならば、こうしたなかば企画書めいた説明こそは、この文芸ジャンルの宿命なのであった。

ノベライゼーションは、視覚的なジャンルなのだろうか？　ここでもまた、予想は裏切られる。多くのノベライゼーションに見られる際立った特徴とは、その文化的背景がどのようなものであろうと、それらが驚くほどに非視覚的であるということだ。商業的ノベライゼーションは、映画のイメージに太刀打ちしようなどとはまったく考えず、ひたすらナレーションに集中するし、文学的に小説化を行なおうという場合には、映画がなかなか描写できない箇所こそを強調しようと（あるいは、まるまる創造してしまおうと）、包括的な語り手を導入したりする。前者の商業的ノベライゼーションの場合、その動機はネガティブなもので、脚本を小説に起こす際に、ノベライザーは、その描写によってオリジナルのイメージを「裏切る」というリスクをおかさぬよう、脚本に根拠、あるいはそれに等しいものがみつけられない限り、視覚的な表現はなるべく避けるのである。（Baetens 49-50）

かくして、文章によって映像を凌駕するといった文学的使命をもちえない商業的ノベライゼーションの世界では、ノベライザーの作家的想像力よりもむしろ、いかに正確かつ大胆に製作側の意図を汲み取り、それを事前公開の可能なかたちで文章化しうるかという、編集者的な才覚の方がものをいうこととなる。そのように考えてみるとき、これだけの情報量をコンパクトかつ、読み物として充分に満足できるかたちでノベライズできる人気ノベライザーのコックスが、やはり編集者としてもキャリアを積んでいたという事実は、決して偶然の出来事ではなかったのである。

◉「ゴジラ」か「ガッズィラ」か

エドワーズ版映画『GODZILLA ゴジラ』には、本多猪四郎と芹沢博士を融合させた「イシロー・セリザワ」なる日本人学者が登場する。これを演じた俳優の渡辺謙は、エドワーズ監督の力量に最大限の賛辞を寄せつつも、あくまでも「日本人として」、以下のような提案を監督にしたのだと語っている。インタビュー記事の該当部分を引用してみよう。

オリジナルから踏襲したテーマを揺るぎないものとしてメインクルーが共有し、製作が進められた今作。しかし、ただ一点だけ、監督と渡辺さんとの間で相容れない部分があったという。
「その存在を説明する時、僕が発する『ゴジラ』の発音です。ハリウッド映画ですから『ガッズィラ』と英語ふうに発音すべきですが、生理的に受け入れられず日本語ふうに発音しました。ギャレスからは英語と日本語双方の撮影を提案されましたが、確実に英語が使われるだろうと。そこは、日本人として頑なに拒否しましたね」（渡辺　五八）

たしかに、映画のなかのイシロー・セリザワは、“We called him ... ‘Gojira.’”（私たちはそれを、「ゴジラ」と呼んでいた）といった具合に「ゴジラ」の部分をカタカナ読みしており、渡辺の証言によれば、それは撮影時に決定されたことであるという。では、こうした突発的な変更が、そのノベライゼーションに反映するということは可能なのだろうか。当該箇所をみてみよう。

フォードは画像を見つめた。ピンぼけだが、その途方もない大きさとおおまかな輪郭ははっきり見てとれる。
「我々はそれをゴジラ〔*Godzilla*〕と名づけた」芹沢が言った。（コックス　一五四）

【図9】『GODZILLA　ゴジラ』の書影

翻訳ではにわかには識別できないけれど、引用者の註として挿入した原綴りのように、ここでは脚本どおり「ガッズィラ」の読みが採用されているのが分かる。ノベライゼーションにとっては、やはり現場での突発的な変更に対応するというのは、至難の業であるようだ。しかしながら、それとは別に、この芹沢のセリフに続けてコックスが展開した、次のようなナレーションは注目に値する。まずは、英語の原文を引用してみよう。

"We call him *Godzilla,*" Serizawa said.

The name was derived from a legend of the islands: a mythical king of monsters known as *Gojira*. The name had been Americanized by the U.S. Military during their initial attempts to bomb the newly discovered behemoth out of existence. (Cox 126)

【引用者による逐語訳】

「私たちは彼を〈ガッズィラ〉と呼んでいる」とセリザワは言った。

その名は、島々の伝承に由来するもので、〈ゴジラ〉として知られる、神話上の怪獣王だった。アメリカ軍が、新種の巨大生物の息の根をとめるために行なった最初の爆撃のときに、その呼び名をアメリカナイゼーションしたのだった。

なぜ芹沢博士が「ガッズィラ」と発音しているのか、このようなナレーションを加えることで、ノベライゼーションはその整合性をはかっている。つまり、映画本編では、渡辺の抵抗によって「ゴジラ」という発音が現代まで受け継がれていることになったのに対し、ノベライゼーションにおいては、「ゴジラ」という発音そのものがすでに変化してしまっていたという、もう一つの「現代」が描かれることになったのである。

ちなみに、エドワーズ版『GODZILLA　ゴジラ』における、ゴジラという日本の物語の「アメリカナイゼーション」については、『新ゴジラ論――初代ゴジラから「シン・ゴジラ」へ』にて、小野俊太郎が次のような解説をしている。

> そして〔ムートーの〕オスの進路は、「日本→ハワイ→サンフランシスコ」と旧日本軍が目指した行程をたどり、芹沢博士が常にもっている父親の形見の懐中時計は、広島の原爆投下の時刻で止まっている。これは太平洋戦争の語り直しであり、同時にゴジラという存在をアメリカ内部に国内化するためのハリウッド側の戦略に他ならない。ネバダの核廃棄施設に保管されていたムートーのメスと、日本からやってきたオスが引き合い、サンフランシスコで巣を作り産卵をする。それを邪魔するのがゴジラということになる。(小野　一七六―七七)

さて、こうした日本版ゴジラとの融合を積極的に引き受けたコックス版ノベライゼーションにとって、そのさらなる試練としては、日本語への翻訳というプロセスがあった。なにしろ、翻訳においては、原文にある「Gojira」と「Godzilla」を「ゴジラ」と「ガッズィラ」に訳し分けることはあまりに煩雑であり、ノベライゼーションが最重要視する、娯楽としての読みやすさが損なわれてしまう危険性があるからだ。

はたして、コックス版ノベライゼーションの翻訳を担当した片桐晶の出した結論は、以下のようなものだった。

「我々はそれをゴジラと名づけた」芹沢が言った。
その名前は、大戸島の伝説の怪獣『呉爾羅《ごじら》』に由来する。新種の巨大生物をしとめるために
アメリカ軍が爆撃を行ったころから、アメリカふうに『ゴジラ』と呼ばれるようになった。
（コックス　一五四）

片桐はこのように、全編を通して「Godzilla」の訳語として使用している「ゴジラ」という表記を「アメリカふう」と説明したうえで、原文においては「Gojira」とされているところを、東宝が以前よりこの怪獣の伝承ㇳの表記として使用してきた「呉爾羅」に置き換え、さらには、原文では「the islands」とのみあったところも「大戸島」というようにシリーズ第一作の設定にそろえてみせたのである。

ちなみに、インターネットに公開された「二〇一二年六月二〇日」の草稿段階脚本を参照するならば（オフィシャルなサイトにアップされたものではないため、あくまでも参考程度だが）、二〇一二年六月二〇日の時点で、日本人学者の「ホンダ」（イシロー・セリザワの原型）は最初から最後まで「ゴジラ」（Gojira）と発音しており、渡辺謙の提案を待たずとも、このカタカナ読み

に言及しないわけにはいかないと考えるスタッフが、ハリウッドの側にもいたらしきことがうかがい知れるのだった（Borenstein, et al "Godzilla"）。
日米間を往復しつつ、世界を巻き込んできた『ゴジラ』の文化史。それは、庵野秀明総監督による『シン・ゴジラ』（二〇一六年）や、虚淵玄原案のアニメ三部作『GODZILLA』（二〇一七―一八年）、さらには、エドワーズ版ゴジラの続編『ゴジラ キング・オブ・モンスターズ』（*GODZILLA: King of Monsters*, 2019）へといった具合に連綿と続いていく。これと併走するようにして、各々の『ゴジラ』を文字どおりに語りなおさんとするそれぞれの世代の思いは、ノベライゼーションというかたちで引き継がれていく。有名無名を問わず、「小説という形式」をかりて運動に参加するノベライザーたちの存在もまた、ゴジラが生き延びていくもう一つの原動力となっているのだ。

◉引用文献
海原俊平『ゴジラ――昭和２９年度東宝作品 映画小説』田中友幸監修、講談社X文庫、一九八四年。
小野俊太郎『新ゴジラ論――初代ゴジラから「シン・ゴジラ」へ』彩流社、二〇一七年。
鏡明「ゴジラ雑感」『ゴジラ――昭和２９年度東宝作品 映画小説』、一九八四年。

香山滋『ゴジラ』ちくま文庫、二〇〇四年。

コックス、グレッグ『ゴジラ』片桐晶訳、角川文庫、二〇一四年。

ソンタグ、スーザン『反解釈』高橋康也、出淵博、由良君美、海老根宏、河村錠一郎、喜志哲雄訳、ちくま学芸文庫、一九九六年。

永嶺重敏『怪盗ジゴマと活動写真の時代』新潮新書、二〇〇六年。

村田武雄、本田猪四郎「撮影台本決定稿」『ゴジラ１９５４』竹内博、村田英樹編、実業之日本社、七六―八八ページ。

渡辺謙（インタビュー）「ゴジラは紛れもなく、大人の映画です。」『Pen』三六三号、二〇一四年七月一五日、五八ページ。

Baetens, Jan. *Novelization: From Film to Novel*. Translated by Mary Feeney, Ohio State UP, 2018.

Borenstein, Max, et al. *Godzilla*. Film script. 2012, https://indiegroundfilms.files.wordpress.com/2014/01/godzilla-jun20-2012.pdf.

Cox, Greg. *Godzilla*. Titan Books, 2014.

Johnson, Andrea. “INTERVIEW Behind The Scenes of Movie Tie-Ins with Greg Cox.” *SF SIGNAL*. 2014, www.sfsignal.com/archives/2014/07/interview-behind-the-scenes-of-movie-tie-ins-with-greg-cox.

第3章　『勝手にしやがれ』はどこまで勝手にできるか

◉ソンタグのゴダール

一九八〇年代のスーザン・ソンタグは、映画界にいらだっていた。小説の映画化が、もはや監督たちの「リサイクル・ゲーム」と堕してしまっているにもかかわらず、依然としてそうした企画に敬意を払い続ける業界に、憤りを感じていたのだ。その慨嘆は、彼女がこれまで言及したこともない「映画のノベライゼーションであると自称する書物」（a book that calls itself the novelization of a film）に対する暴言となって、以下のようにテクストにあらわれてしまった。

映画監督は、しようと思えばリサイクル・ゲームに興じていられるし、それは至極当たり前なこととみなされる。映画のノベライゼーションであると自称する書物については、それが無教養であると――まっとうな――評価を下すくせに、小説の映画化は、敬意を払うべき企画であるというわけだ。(*Where The Stress Falls* 121)

映画『キング・コング』公開の年である一九三三年に生まれたソンタグは、生涯を通じて映画と文学の関係にこだわりをもち続けてきた批評家であり小説家だった。第一評論集『反解釈』に収録されたエッセイ「小説と映画――覚えがき」では、二〇〇〇年以上に及ぶ小説の歴史と、その四分の一の長さしかもたない映画の歴史を並列的に語り、新興のアート形式である映画が、やがて小説の「新しさ」を追い抜いていくだろうことを予言した。芸術映画であろうとポルノ映画であろうと、ジャンルの雅俗などには拘泥せず、映画そのものに対峙しようとしていた若き日のソンタグにとって、同時代のフランス人映画監督ジャン＝リュック・ゴダールの実験的な作品がなによりも魅力的に映ったのはまったく不思議なことではなかった。第二評論集においても、ソンタグはゴダールについて、次のように語っている。

ゴダールは、みずからの反ナラティヴ的傾向がよってたつ肥沃で確固たる土壌として、アメリカ大衆小説の語りの約束事に頼る。「アメリカ人はストーリーの語り方をよくわかっている。フランス人はまったくだめ。フローベールやプルーストは、どうやって語ればよいかがわからずに、語りではない何か別のことをやっている。」じつはゴダールもまた「何か別のこと」を追い求めているのだが、彼は、俗な物語から始めることの有用性をはっきりと認識している。
(『ラディカルな意志のスタイルズ』一九六─九七)

キャンプのように、俗悪なるものを美学的な形式へと昇華する考えに強く惹かれたソンタグにとって、こうしたゴダールの実践は格好の批評対象だったし、なにより、ゴダールの作品が、(やがて彼女が「リサイクル・ゲーム」と呼ぶことになる凡庸な映画化とは似て非なる)知的で挑発的なアダプテーションであったことは、小説と映画の抜き差しならない関係を言語化しようとする当時の彼女を大いに刺激したのであった。

◉映画愛とキャンプは両立するか

本章冒頭の引用にもあるとおり――これは、一九八〇年代前半のものだ――、ソンタグは決して、単なる「リサイクル」としてのアダプテーションを快くは思わなかった。若きゴダールとともに駆け抜けた六〇年代を遠くに感じるソンタグは、やがて一九九〇年代半ばともなると、アメリカにおいてかつての「映画愛《シネフィリア》」が煙たがられるような風潮に危機感を覚えつつ、芸術的価値のないリサイクル作品に対してはいっそう辛辣な批判を浴びせるようになった。

シネフィリアは、古風で時代遅れなスノビズムとの誹《そし》りを受けてきた。というのも、それは映画を唯一無二で繰り返しのきかない、奇跡的な経験と捉えたがるものだからだ。だが、映画愛があるからこそ、たとえゴダールの『勝手にしやがれ』がハリウッドでリメイクされても、それがオリジナル版とは比較にならないことを、私たちは知ることができるのである。ハイパーインダストリアルな映画の時代にあって、シネフィリアはおよびでないらしい。

(*Where The Stress Falls* 120)

映画愛にあふれたシネフィルのような、映画に対する審美眼の持ち主が必要とされない時代にあって、私たちは本物と偽物の区別もつかなくなってしまった——。そんな恨み節に突き動かされる後期ソンタグのエッセイは、けれども残念ながら、批評としてはいささか柔軟性に欠けてしまっていると言わざるを得ないだろう。思い起こせば、ソンタグはかつて、その名を一躍世界に知らしめたエッセイ「《キャンプ》についてのノート」のなかで、通俗性の価値を次のように評価していたのではなかったか。

キャンプの純粋な例は、意図的ではない。それらは大真面目なものなのである。蛇の巻きついたランプを作るアール・ヌーヴォーの職人は、ふざけているのでもなければ、魅力的なことをやろうとしているのでもない。彼はおよそ真面目くさって、「見よ！　これが東洋だ！」と叫んでいるのだ。（『反解釈』四四二―四三）

そう、イノセントな通俗性、通俗性を意図していない通俗性、そういったもののもつ不可思議な魅力を、若き日のソンタグは全面的に肯定し、そうすることでみずからの批評的回路を切り拓いてきた。先の章でもふれたように、このエッセイにおいてソンタグは、無作為に列挙された模範的な「キャンプ」の一つとして、あの「シェードサックの『キング・コング』」（四三五）をもリストアップしているのだが、それはもちろん偶然ではなかったはずなのだ。

ソンタグは書いている、「キャンプの本質は、不自然なものを愛好するところに――人工と誇張〔exaggeration〕を好むところに――ある」（四三一）と。もしも彼女が、一九六〇年代を遠くに眺めやる「ハイパーインダストリアルな映画の時代」のさなかにあっても、依然としてこうした挑発的な態度を心がけていたとしたならば、はたしてどのような批評が展開されていたのだろうか。というのも、もはや若くはないソンタグが一顧だにしなかった『勝手にしやがれ』（*À bout de souffle*, 1959）のハリウッド・リメイク版――すなわち、ジム・マクブライドが監督したリチャード・ギア主演作『ブレスレス』（*Breathless*, 1983）は、その商業主義的な「過剰さ」において群を抜いており、かつまた、ゴダール映画に対する「あこがれ」の面では愚直なほどに「純粋」なアダプテーション作品であったからだ。

たしかに、『ブレスレス』というリメイク作品を論じるにあたって、ゴダールのオリジナル版は、そもそも比較の対象にならない。しかし、「ハイパーインダストリアルな映画の時代」において、むしろそのハリウッド的商業主義を過剰に突き進む通俗性に注目してみるならば、まさしく一九三三年の『キング・コング』がそうであったように、一九八三年の『ブレスレス』もまた、そのイノセントな通俗性を「キャンプ」として評価することもできる、格好の批評対象となったはずなのである。

◉リメイクとノベライゼーション

「ハイパーインダストリアルな映画の時代」は、映画本編のさらなるアダプテーションとしての、ノベライゼーションが成熟していく時代でもあった。じつは、すでに何度か引用している研究書『ノベライゼーション』において、この『ブレスレス』のノベライゼーションは、著者のバーテンスがもっとも力を入れて分析している作品であった。まずは、彼の議論を概観していこう。

はじめにこう言っておくのが賢明だろう——ジム・マクブライドによる一九八三年の映画『ブ

レスレス』は失敗作だ。当時はビデオ市場が未成熟で、ジャン＝リュック・ゴダールの代表作である『勝手にしやがれ』もなかなか観ることができなかった。そうした時代に製作・公開されたこのアメリカのリメイク版は、すばらしくもあまりに痛々しい必死さで、フランスのオリジナル版を模倣しようとしていた。プロットの大枠は同じだ――若いならず者がたまたま警官を殺してしまうが、逃亡を企てている最中に、恋人が彼を警察に通報するのである。

（Baetens 110）

お気づきのとおり、バーテンスには最初から、リメイク版の映画『ブレスレス』そのものを論じるつもりはない。というのも、ここでの彼の視線は、リメイク版の映画本編それ自体に「過剰さ」を見出そうとはせずに、リメイク版映画のノベライゼーション（と、そのフランス語訳バージョン）という、ソンタグには想像もつかなかったもう一つ先の「過剰さ」に注がれているからだ。

ジム・マクブライドはジャン＝リュック・ゴダールではないし、それゆえにすべては失敗に終わってしまった。〔中略〕

にもかかわらず、マクブライドの『ブレスレス』は、私たちの目的するところにおいて鍵となる映画である。なぜなら、同作の小説版は、ノベライゼーションにとっての世界市場の仕組

【図10】『ブレスレス』（左）と『勝手にしやがれ、メイド・イン・USA』（右）の書影

みを明らかにしてくれるからだ。〔中略〕アメリカの大衆小説の魅力に育まれたゴダール映画にインスパイアされて、アメリカ版の映画が制作される。一九六〇年に刊行された誰も知らないオリジナル版のノベライゼーションとは別に、アメリカ版もまた、月並みで退屈な職人技のノベライゼーションを出版する。フランスでマクブライド版の『ブレスレス』が上映され、フランスの観客のために、アメリカ版のノベライゼーションはふたたびフランス語へと翻訳される。かくして、フィードバックの輪は複雑化する。それは映画の国を遊覧してふたたび始まりに戻ったというのとは違う。むしろメビウスの輪、あるいはスパイラルのごときもので、たとえ振り出しに戻っても、そこはいつでも、以前と次元の異なる場所となっているのだ。（Baetens 111）

メビウスの輪にも喩えられる、アダプテーションとノベライゼーションとトランスレーションの連鎖。最終形態を露わにしな

い、そのねじれた循環構造は、【表3】にも明らかなとおり、タイトルの混乱はもとより、各作品に携わったものたちのクレジット表記にも、尋常ならざる影響を及ぼしている。

◀【表3】『勝手にしやがれ』／『ブレスレス』をめぐるクレジット表記の変遷

一九六〇年	映画『勝手にしやがれ』（仏）公開	監督・脚本――ジャン＝リュック・ゴダール 原案――フランソワ・トリュフォー 監修――クロード・シャブロル
一九六〇年	小説版『勝手にしやがれ』（仏）出版	ノベライズ――クロード・フランコリン（表紙） 映画製作者――ジャン＝リュック・ゴダール（表紙） フランソワ・トリュフォー（表紙） クロード・シャブロル（表紙） 撮影監督――ラウール・クタール（奥付のみ）
一九六一年	映画『勝手にしやがれ』（仏）が、『ブレスレス』という米題でアメリカ公開	
一九八三年	リメイク版映画『ブレスレス』（米）公開	監督――ジム・マクブライド 脚本――L・M・キット・カーソン ジム・マクブライド 原作脚本――ジャン＝リュック・ゴダール 原案――フランソワ・トリュフォー

一九八三年	小説版『ブレスレス』（米）出版	ノベライズ――リアノー・フライシャー（表紙） 脚本――ジム・マクブライド（表紙） L・M・キット・カーソン（表紙） エグゼクティヴ・プロデューサー――キース・アディス（裏表紙） プロデューサー――マーティン・エリックマン（裏表紙） 監督――ジム・マクブライド（裏表紙） ＊リメイクであることの言及なし。脚本の並び順が映画と異なる。
一九八三年	映画『ブレスレス』（米）が、映画『勝手にしやがれ、メイド・イン・USA』という仏題でフランス公開 ＊タイトル前半はフランス語で後半は英語。ポスターには英語の『ブレスレス』も併記	
一九八三年	小説版『勝手にしやがれ、メイド・イン・USA』の翻訳がフランスで出版	ノベライズ――リアノー・フライシャー（表紙） 脚本――ジム・マクブライド（表紙） L・M・キット・カーソン（表紙） オマージュ――ジャン＝リュック・ゴダール（裏表紙） 翻訳――ミシェル・ダロー（奥付のみ） ベルナデッタ・エメリッヒ（奥付のみ）

こうした「メビウスの輪」を前に、あらためて驚かされるのは、そのノベライゼーションとトランスレーションの展開の速さであろう。映画『勝手にしやがれ』は、その予算の「低さ」ゆえに撮影や編集上の速さが求められ、そういった外的要因もあって「ジャンプカット」のような新しい技法が誕生したと伝えられているが、映画『ブレスレス』というリメイク作品にあっては、予算の「高さ」ゆえに、そのプロモーションに「速さ」が求められた。ちなみに、一五〇〇万ドルの予算をかけた同作は、アメリカ国内だけでも興行収入二〇〇〇万ドル弱という好成績を成し遂げたという(Fotiade 99, 102)。

リメイクという名のアダプテーションに始まり、ノベライゼーションとトランスレーションというさらなるアダプテーションへと連鎖していくメビウスの輪は、さらに、そのつなぎ目となっているタイトルの重なり具合にも注目する必要がある。映画『勝手にしやがれ』は、そもそも英語圏では『ブレスレス』と英訳され上映されていたが、その二二年後にアメリカで制作されたリメイク映画『ブレスレス』は、フランスに輸出される際に『勝手にしやがれ、メイド・イン・USA』(*A bout de souffle made in USA*, 1983)という英仏折衷のタイトルに変更された。この仏題のおもしろさは、前半にオリジナル版のフランス語表記を採用し、後半にゴダールの別作品『メイド・イン・USA』(*Made in U.S.A*, 1966)を添えたかのような作りになっているところだろう。

こうした言語の混交は、タイトルに関していえば、ゴダール作品のことをよく知るフランスの観客にとって都合のよいものであったのかもしれない。しかしながら、ことノベライゼーションの世界においては、こうした複数言語のひしめきは、あまり歓迎されるものではなかったという。そもそも、リメイク版のタイトルである『ブレスレス』には、『勝手にしやがれ』の英訳という意味の他に、主人公の男性が好んで聴くジェリー・リー・ルイスのロックンロールのタイトル「ブレスレス」("Breathless," 1958)が重ねられているのだが、そうした言外の含みは、劇中や小説のなかでそのまま引用されるルイスの歌声のなかに観客や読者が「ブレスレス!」のシャウトをみつけられなければ意味をなさないだろうと、バーテンスは指摘するのである。ことに、フランス語版ノベライゼーションにおいては、「ブレスレス」の歌詞は英語のままで引用されているため、『ブレスレス』と『勝手にしやがれ』のつながりは、結果的に不明瞭なままにされてしまうのである(Baetens 113-21)。

● 賢い裏切りと愚鈍な忠誠——『勝手にしやがれ』と『ブレスレス』

ところで、映画のリメイクというものは、オリジナル作品の単なる再生産にはとどまらない。フランスの思想と映画を専門とするラモナ・フォティアーデは、ジム・マクブライド監督のこんな言葉を引用している。

ゴダールの映画はカネのために作られたんじゃない。仲間と一緒に、パリの街路で作られたんだ。僕が偏愛してやまないフランスの知識人階級から、それは生まれたんだ。比べてしまうと、僕らのバージョンはカネがかかり過ぎているし、知的とはいえない。こっちはより官能的で情感に訴える作品なのだけれど、そうした感情はハリウッド的な慣習にしたがって大げさに表現されているんだ。(Fotiade 99)

ここでまず驚かされるのは、映画『勝手にしやがれ』のリメイクにあたっては、皮肉にもその予算の潤沢さによって、制作側の創作意欲があらかじめ抑制されていたということだ。「カネのため」というのが最大のモチベーションとなるマクブライドらのリメイクは、ゴダールたちが試みた自由奔放な映像実験とは似ても似つかぬ、確実なヒットに狙いを定めた「仕事」となったのである。それでもなお、彼らの仕事に私たちが論じるに足る「過剰さ」があったとするならば、それは監督も認めているとおり、その商業主義的態度の徹底――「ハリウッド的な慣習にしたがって大げさに表現されている〔exaggerated〕」――においてということになるだろう。

事実、映画『ブレスレス』は、映画『アメリカン・ジゴロ』(*American Gigolo*, 1980)で話題となったリチャード・ギアの肉体を前面に押し出し、ゴダールにとってのパルプフィクション的なアメリカを本場ハリウッドで徹底的にステレオタイプ化してみせたばかりか、ウディ・アレンがいうところの「現代アメリカに特有の、ほんとに愚かしい現象」であるノベライゼーションを、その公開と同時に刊行してみせた。こうした過剰な商業主義的態度は、正統的な「映画愛」の持ち主からしてみれば、ただただオリジナル作品への裏切りにしか映らなかったのだろう。ふたたびフォティアーデの著書から、マクブライドの映画が海外輸出され、フランス公開された際の、現地の批評の一節を引用しておこう。

『勝手にしやがれ、メイド・イン・USA』はゴダールを裏切らない（傑作になっても良かったし、少なくともゴダール的になる可能性はあった）。本作はゴダールを再解釈するものでもないし、あたかも何も起こらなかったかのように、というよりむしろ、結局のところ、あたかもフランス／スイスの映画監督が一九六〇年のパリで誤ってアメリカのB級映画を撮ってしまったかのように振舞っているのだ。（Fotiade 100）

ずいぶんと回りくどい批評だが、要するに、アメリカ文化の批評的アダプテーションたるゴダール作品を、アメリカ文化圏において無批判に再アダプテーションしてみせたマクブライドの映画『ブレスレス』は、原作に対する賢い裏切りではなく、むしろそれへの愚鈍な忠誠とみなされるべきだと、この評者はいいたいのであろう。だが、そもそもソンタグが称揚してみせたゴダールたちの「反ナラティヴ傾向」は、アメリカ大衆小説的な語りをその源としていたのであり、マクブライドらによるゴダール作品のアメリカ映画化という愚鈍なリメイクは、その「大真面目さ」において、やはり「キャンプ」な企みであった。すなわち、ここであらためてソンタグの言葉をそのままマクブライドたちの仕事に適応してみるならば、『ブレスレス』のリメイクおよびノベライゼーションは、ふざけているのでもなければ、魅力的なことをやろうとしているのでもなく、およそ真面目くさって、「見よ！　これがゴダールのアメリカだ！」と叫んでいると評価できるのである。

◉引用文献

ソンタグ、スーザン『反解釈』高橋康也、出淵博、由良君美、海老根宏、河村錠一郎、喜志哲雄訳、ちくま学芸文庫、一九九六年。

――『ラディカルな意志のスタイルズ〔完全版〕』管啓次郎、波戸岡景太訳、河出書房新社、二〇一八年。

Baetens, Jan. *Novelization: From Film to Novel*. Translated by Mary Feeney, Ohio State UP, 2018.

Fotiade, Ramona. *À bout de souffle (French Film Guides)*. Bloomsbury, 2013.

Sontag, Susan. *Where the Stress Falls*. Penguin, 2009.

第4章　ノベライゼーションの黄金期

◉ノベライゼーション・バブル

序章にも述べたとおり、一九七〇年代のアメリカは、映画ノベライゼーションの黄金期であった。映画公開前にベストセラーとなった小説『オーメン』、ゴーストライターがジョージ・ルーカス名義で仕上げた小説『スター・ウォーズ／ルーク・スカイウォーカーの冒険より』（*Star Wars: From the Adventures of Luke Skywalker*, 1976）、映画本編よりも恐ろしい内容の小説『ジョーズ2』（*Jaws 2*, 1978）、そしてアメリカとイギリスでまったく異なるタッチで書き下ろされた二種類の小説『カプリコン・1』（*Capricone One*, 1978）などなど。

だがもちろん、ノベライゼーションを取り巻く状況は、必ずしも右肩上がりというわけにはいかなかった。そもそも、同じ黄金期にあっても、ノベライゼーションという新たなビジネスチャンスに過剰な投資を行なったがために、結果的に大きな損失につながってしまったケースもある。たとえば、シルヴェスター・スタローンが主演・脚本を務めた一九七八年の映画『フィスト』（*F.I.S.T.*）の場合、同タイトルのノベライゼーションの失敗は、業界を震撼させるほどだったという。一九八一年七月の『ニューヨーク・タイムズ』紙に掲載された記事を読んでみよう。

【図 11】『フィスト』の書影

　映画を書籍化して一儲けするというのは、きわどい商売だ。バンタム、デル、バランタイン、ワーナーブックス、そしてほかにも半ダースほどのペーパーバック出版社は、数年前、小説化できそうな脚本を何十万ドルという金額で買い取っていた。だが今日、市場の平均価格は、映画一本につき二万五〇〇〇ドル。『おんぼろバスと8人の子供たち』（*Bustin' Loose*, 1981）や『四季』（*The Four Seasons*, 1981）のような最近のヒット作であっても、出版社は見向きもしなかった。「私たちはみんな、大やけどを負ってしまったからね」と語るのは、バンタム社のエグゼクティブ・エディター、ノレッド・クライン。彼によれば、『フィスト』のノベライゼーションは、さながら映画ノベライゼーション界の『天国の門』（*Heaven's Gate*, 1980）だったという。その

大損害は、業界を震撼させる最初の事例であった。(Harmetz 7)

この記事の分析を読む限り、小説版『フィスト』の敗因は、ノベライゼーション市場に対する急激な投機熱の高まりにあった。具体的な数字を挙げるならば、同書のために支払われた四〇万ドルは、ほとんど回収できなかったという。「最終的に分かったのは、映画の興行収入と書籍売上の相関関係は、私たちが思っていたほどシンプルではないということだ」(Harmetz 7)と、バンタム社のクラインはいう。たしかに、ビジネスチャンスとして期待された一九七〇年代のノベライゼーション市場にあって、そのバブル期を経て明らかになってきたのは、ノベライゼーションのヒットの法則などではなく、むしろこの文芸ジャンルの不可解さの方だったのである。

◉アダプテーションとノベライゼーション

ノベライゼーションの不可解さとは何か。端的にいえば、それは小説化と映画化という一見逆向きに思える二つのプロセスが、じつは、互いに補完しあう関係にはないといったことに由来する。ここであらためて、二つの「〜化」が、どのように異なっているのか、両者を統合する「アダプテーション」(adaptation)なる概念をおさらいしつつ、確認しておこう。

まず、芸術の世界で「アダプテーション」(翻案、脚色)といった場合、それは小説などを映画化したり舞台化したりすることを意味する。もちろん、「アダプト」（adapt）という動詞の語義は「適応する（させる）」ということだから、映画や舞台を小説というジャンルに適応させても、それもやはり「アダプテーション」であると考えられるはずだ。しかし、小説化の場合、英語圏ではあまり積極的にこの用語は使われない。つまり、「文字→映像」と「映像→文字」では、通常は前者のみが「アダプテーション」と呼ばれ、後者は「ノベライゼーション」として区別されるのである。

海洋ホラー作品『ジョーズ』シリーズを例に、具体的に説明してみよう。

ピーター・ベンチリーのベストセラー小説『ジョーズ』（*Jaws*, 1974）は、一九七五年にスティーヴン・スピルバーグの手によって映画化され、同監督の初期代表作となった。これは典型的なアダプテーションである。

対して、その続編となる一九七八年の映画『ジョーズ2』では、オリジナルの脚本が採用されたことにより、市場にはベンチリーではない作家による長編小説『ジョーズ2』が出回った。こちらは、ノベライゼーションの典型的な例といえるだろう。

さて、このようにして世間に流通を始めた「小説」と「映画」の二つの組みあわせだが、その実態はといえば、私たちが先に確認したような「文字→映像」と「映像→文字」といったシンプルな関係とは、ずいぶんと異なっている。どういうことか。両作品の制作プロセスをもう少し詳しくみてみよう。

映画のヒットを受けて、小説『ジョーズ』も、結果的に二〇〇〇万部を超えるベストセラーとなったのだが、映画第二作『ジョーズ2』では、監督も脚本家もおしなべて交替となった。このとき、原作者であるベンチリーもいちおうはシナリオ案を出したといわれているが、そもそも、彼のなかには小説『ジョーズ2』すら書き上げるモチベーションはなかったという。だが、続編映画の制作チームにとって重要なことは、「原案」としての『ジョーズ』が存在することと、自分たちがその映像化権を保有しているということであって、原作者や監督の続投がなくとも映画『ジョーズ2』の制作と公開は既定路線であった。そしてもちろん、続編の「原作小説」が存在しない以上、出版界にはノベライゼーションが必要とされた。ノベライザーとして、中堅作家のハンク・サールズに白羽の矢が立った。

『ジョーズ2』と『ジョーズ'87 復讐編』(*Jaws The Revenge*)の両作を担当したサールズは、ロバート・アルトマンのハリウッド第一作『宇宙大征服』(*Countdown*, 1968)の原作者でもあり、綿密なリサーチに基づく創作を得意とする作家である。ガイドブック『もう大丈夫と思った瞬間に——ジョーズ・コンパニオン』によると、撮影前の段階で脚本を渡されたサールズは、映画の制作プロセスにおいて脚本が変更されたにもかかわらず、基本的には初期段階の脚本にのっとるかたちでノベライゼーションを行なったという。同書の解説を読んでみよう。

伝えられるところによると、〔監督を務めるはずだったジョン・〕ハンコックの『ジョーズ2』は、スタジオが想定していた以上に暗いホラー映画であった。さらに、〔初稿を書いたハワード・〕サックラーの脚本を、ハンコックは女優である自分の妻、ドロシー・トリスタンに書き直しをさせたのだが、これをサックラーは侮辱的行為であるとして、ハンコックを注意するようユニバーサル・スタジオにもちかけた。
とはいえ、ハンコック版『ジョーズ2』のプロットは本当に恐ろしいもので、完成版より大量の犠牲者が出るものだった。サメも、子どもを真っ二つに食いちぎるなど、完成版のホオジロザメよりも断然やる気に満ちていた。ハンク・サールズによる『ジョーズ2』のノベライゼーションは、ハンコックとトリスタンによるこの初稿に基づいている。〔中略〕
ハンコックがクビになった後、カール・ゴットリーブが書き直しに参加し、脚本はだいぶ扱いやすいものになった。監督は、ハンコックからヤノット・シュワルツに交代した。
(Jankiewicz 140)

こうした事情を知るにつけ、ノベライゼーションの成り立ちがいかに私たちの想像からかけ離れたものであるかが分かるだろう。これを次のように図式化してみるならば、アダプテーションとノベライゼーションの非対称性は、いっそう明らかになる。

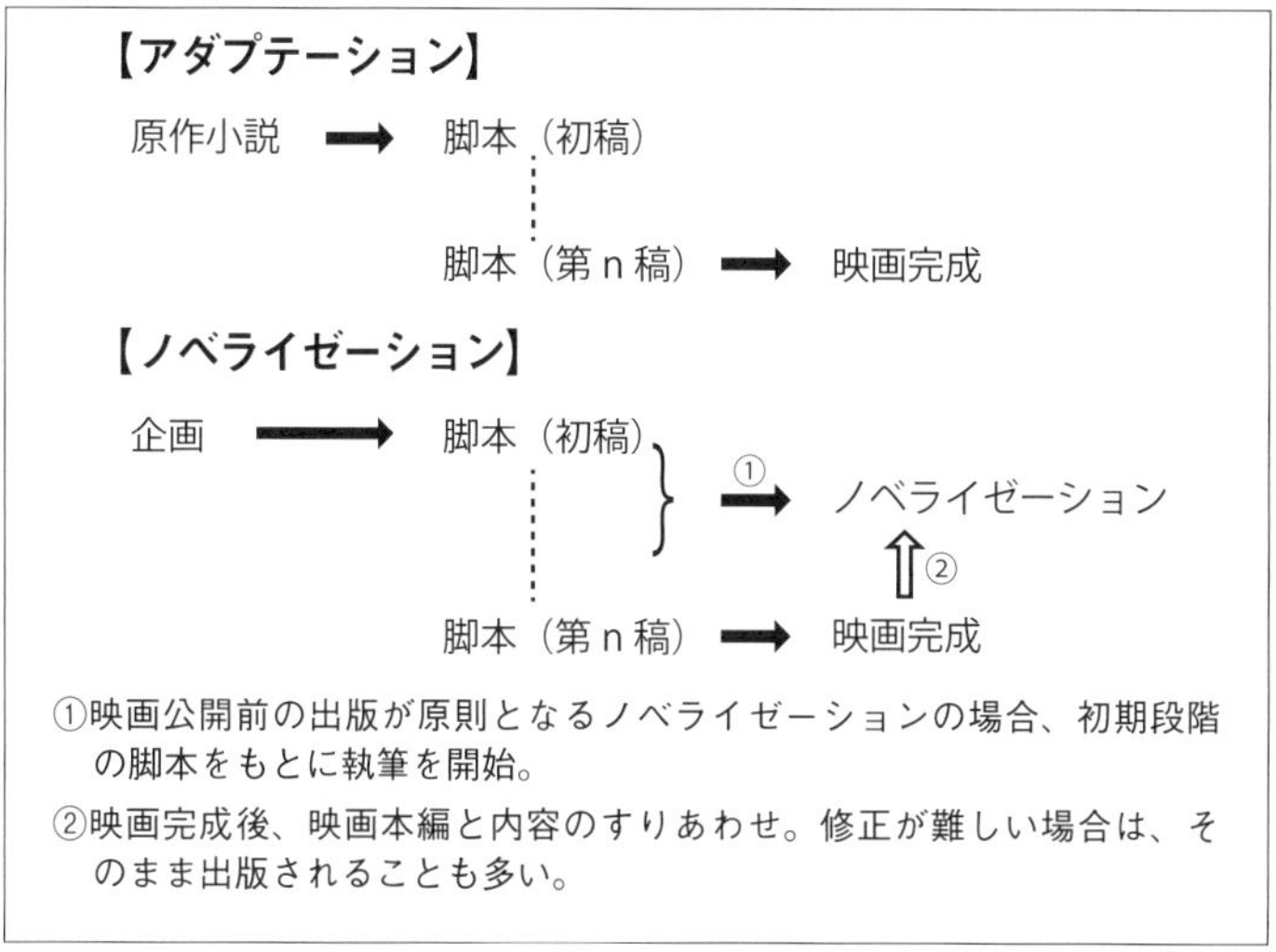
【アダプテーション】
原作小説
脚本（初稿）
脚本（第ｎ稿）
映画完成
【ノベライゼーション】
企画
脚本（初稿）
①
ノベライゼーション
②
脚本（第ｎ稿）
映画完成
①映画公開前の出版が原則となるノベライゼーションの場合、初期段階の脚本をもとに執筆を開始。
②映画完成後、映画本編と内容のすりあわせ。修正が難しい場合は、そのまま出版されることも多い。

【図 12】 アダプテーションとノベライゼーションの違い

この図から読み取れるのは、第一に、ノベライゼーションの実態は、そのほとんどが「映画の小説化」ではなく「脚本の小説化」であるということだ。しかも、そのもととなる脚本は、いまだ決定稿に至っていないものである可能性が高い。

第二に、そうやって早めに書き上げられたノベライゼーションは、もちろん映画本編とさまざまなレベルで食い違いを発生させてしまう。映画にはないエピソードや結末が小説版に書かれている場合、それはノベライザーの創作というよりも、初期段階の脚本や構想の名残であるといったケースの方が多いはずだ。

『ジョーズ2』の場合、その小説版と映画本編の違いは歴然としている――というよりむしろ、「いなくなったはずの人喰いザメがふたたび岬にあらわれ、前回の主人公とあらためて対決する」という物語の大枠は同じであるものの、それ以外の細部はことごとく異なっているといってしまった方が正確かもしれない。

◉いかにして小説版『ジョーズ2』は映画本編を凌いだか

日本語版の訳者である平尾圭吾も、「映画の物語と本書の物語には、あらすじは同じとはいえ、いろんな面で相当な違いがある」としたうえで、「たとえば沿岸警備隊の駆逐艦や水中探知器を海中に垂らしてとぶヘリコプター、それを襲うサメ。追われて逃げ回るイルカやアザラシ、イルカの親子の挿話。さらにマフィアの暗殺事件までがたくみに物語の中に織り込まれて、息もつがせない」と、結果的にノベライゼーションでしか読みえないオリジナルシーンの多さに驚きを隠さない（平尾　二九八―九九）。ことに、「水上スキーを楽しむ二人が襲われるシーン」には小説ならではの描写が光っていると指摘するのだが、それは次のようなものだ。

だが、彼がふたたび振り返った時、そんな望みは断たれたことを知った。ひれが猛スピードで近づいていた。あっという間に、ひれは彼女におおい被さるように接近してきた。彼はとっさに発煙筒に手をのばした。中にカートリッジをつっ込むや、空に向けて発砲した。あわいオレンジ色の光が大きな弧をえがいて大空を駆け上がっていった。だが、まばゆいばかりの青空の

中では、ほとんど目にもつかない。〔中略〕
彼女の背後十フィートのところで海面が割れ、巨大な頭部が現われた。とても信じられない大きさだった。
白い歯にふちどられた不気味な口が開いた。横向きにくねらせ、彼女に食らいついてきた。その口を一振りすると水面におどり出、彼女を空中につき上げる。鮮血と肉片がとび散り、あめ色の髪が乱舞した。彼女の姿は一瞬にして消えていた。（サールズ　四二―四三）

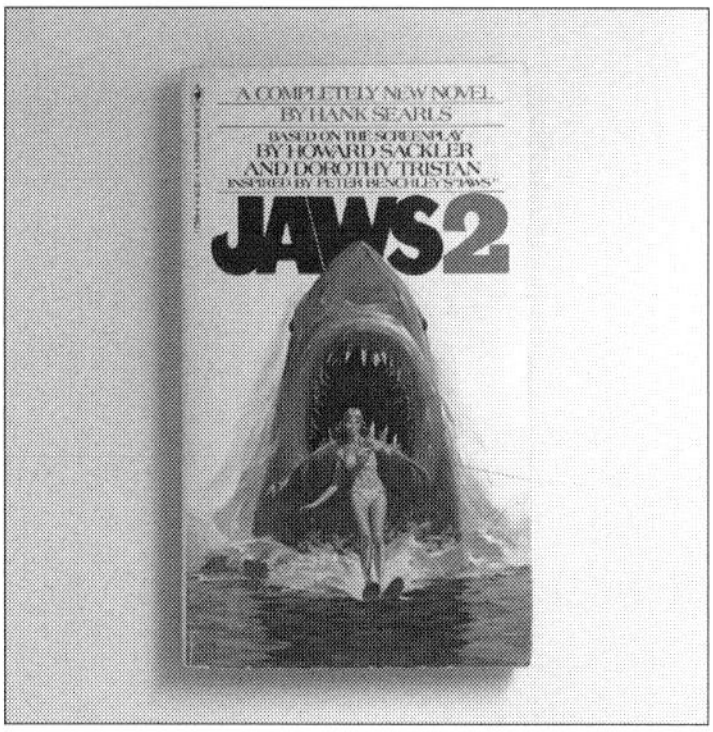

【図13】『ジョーズ2』の書影

小説版のこの箇所に対応するシーンは、映画本編にも存在する。ただし、そこには「発煙筒」の発砲もなければ、「彼女の背後十フィートのところで海面が割れ、巨大な頭部が現われ」ることもない。サメは水中からスキーヤーに襲いかかり、そのまま彼女を海の底へと引きずりこむ。もちろん、サメが水上に姿を現わすか否かといった違いは、ノベライゼーションがもとにしたとされる初期段階の脚本と、実際の撮影に使用された決定稿のあいだのタイムラグに起因するのだから、通常であれば、映画本編の観客にさしたる影響はないはずだった。

だが、こと映画『ジョーズ2』については、事情はずいぶんと異なっていた。というのも、当時の観客はすでに、サメの「巨大な頭部」を大いに期待していたというのである。『ジョーズ・コンパニオン』にもあるとおり、「ハンコックと〔妻の〕トリスタン版『ジョーズ2』では、若い女性の水上スキーヤーが浮き立っていて、ポスターでも映画のマーケティングでもそれが中心的なイメージとなっていた」(Jankiewicz 188)。

つまり、公開当時の観客は、「彼女の背後十フィートのところで海面が割れ、巨大な頭部が現われ」るシーンをはじめから待ち望んでいたにもかかわらず、映画本編はその期待をあっさりと裏切ったのだ(【図13】)。

もう少し詳細に、映画での表現を検証してみよう。映画のなかで、カメラは三つの視点からサメを写している。まず、水面に突き出したヒレを撮る陸上(あるいはボート)からの視点、次に水中カメラによるサメ自身の視点、そして、同じく水中カメラによるサメの体や歯のクロースアップ。水上スキーのシーンでは、この三つがテンポよく切り替えられ、恐怖感が煽られる。ところが、ついにスキーヤーにサメが襲いかかるシーンになっても、それは水上に姿を現さない。水中カメラは、いちどサメの牙にクロースアップしてから、サメの視点に切り替わり、一瞬だけ水上にカメラを上げると、そこにある女性のむき出しの下肢をやはり一瞬だけ映して、今度はボートからの視点に切り替わる。

スクリーンのなか、サメに捉えられてしまった彼女は、水泡とともに海の底に沈む。スキーヤーのいないハンドル付きのロープが、むなしく海面を走り続ける。これだけでも充分に事の重大さは伝わってくるのだが、ノベライゼーションを先に読んでいる観客であったなら、その視覚情報のあまりの低さに、フラストレーションを覚えたことだろう。

しかし、人喰ザメの豪快なアクションを思いどおりに表現することは、当時の技術にとって破格であったようだ。『ジョーズ・コンパニオン』に引用された撮影現場の声は、そのことを率直に語る——「サメを水面から飛び出させて、ポスターにあるみたいに女性を食べるなんてムチャだった！そんなのできっこない。今だったらCGのサメにスキーヤーを食わせればいいんだろうけど、当時は一九七〇年代だからね」(Jankiewicz 139)。

◉小説『オーメン』の完成

映画制作において、脚本の改訂（リバイズ）は必須である。『ジョーズ2』の例にも明らかだが、そうやって撮影終了まで書き直しを続けられていく脚本の、どのバージョンを手にするかで、ノベライゼーションの内容も大きく変わっていく。そして、映画の制作段階で脚本が入れ替わったり、演出の都合によって実際に撮影されるシーンが変更されたりといった非常事態が起こっても（スタジオの側にしてみれば、それは日常的な出来事だろう）、その一つひとつに向きあって小説版のディテールを変更するということは、現実的にはほとんど不可能だと言わざるを得ない。

一九七〇年代を代表するホラー映画『オーメン』もまた、映画撮影と同時進行でその小説版が執筆されていたため、いくつかの重要なシーンで映画本編との食い違いをみせている。ただし、『オーメン』のケースでは、本書の序章でも言及したように、脚本家のデヴィッド・セルツァー自身がノベライザーを兼ねているため、オリジナルの脚本（一九七五年修正版）と小説版の文章にほとんど相違はない。むしろ、脚本のト書きをそのまま小説化したと思われる記述も多く、こうしたノベライゼーションは、脚本の加筆の延長線上にあるものだといえるだろう。

したがって、『オーメン』における映画本編と小説版の違いは、主に監督を中心とした、撮影現場での判断によるところが大きい。たとえばそれは、セルツァーも撮影現場に立ち会ったという、有名な板ガラスによる斬首のシーン。映画では、停車していたはずのピックアップトラックが後ろ向きに坂を下ってきて、荷台から滑り出した板ガラスが水平に男の首を切り落としているのだが、脚本と小説版では、それは頭上のクレーンから外れたものとされ、男の首根っこに垂直に落下していく。


そのとき巨大なクレーンの腕が頭上高くにふり上げられ、一瞬、動きをやめた。がっしりつかんだ大きなガラス板が落ちてくるのに彼は気がつかなかった。それは空中をまっしぐらに落下し、ギロチンの刃《やいば》さながらジェニングズの素首《そっくび》をとらえ、瞬間、からだから頭をみごとに切断し、たちまち無数の破片になって飛散した。（セルツァー　二五七）

あるいはまた、クライマックス近くのシーン。自分の子が悪魔の子であることを確認しようとした父親ソーンが、寝ている息子ダミアンの髪を切り落とし、頭皮に「６６６」の痣をみつけ出そうとする。このとき映画本編では「はさみ」が使われているのに対し、脚本とノベライゼーションでは「電気カミソリ」が使用されている。

手にしっかりと電気カミソリを握りしめて前へ進み出た。子どもの身近に立ちながら、スイッチを入れた。大きな唸りが寝室いっぱいに響くようだった。子どもは気づかず眠っている。ソーンは子どもにむかって身をかがめた。ふるえる手で、微かな唸りをあげるカミソリをあげたとたん、子どもの髪にかるくふれてしまった。たちまち髪の一部が落ちた。

（セルツァー　二六四）

このほかにも、脚本から完全に削除されてしまったシーンも存在する。たとえば、ＤＶＤの特典映像として収録されている「犬を殺すシーン」はその最たるものだ。監督のリチャード・ドナーは、

「動物を殺すシーンはテレビで放送できないから」と、その理由を述べている。彼は、この場面と、それに続くベビーシッター殺しのシーンを最終的にカットしたことを、監督として「正しい判断だった」と語っているのだ。

比較検討のため、ノベライゼーションの当該箇所を引用してみよう。

フロントガラスが砕け、大きな穴があいた瞬間、犬が頭を突っこんできた。犬の歯が噛みあったとき、唾液が飛び散った。犬の顔が間一髪の近さに迫って、ソーンは必死に身を退いた。このとき彼はシートにくぎづけで、犬が歯咬みして、あわやかみつく寸前、上着に手を突っ込み、短剣の一本を握りしめた。その短剣を引きぬき頭上に高くあげて、動物の両眼のあいだめがけてまっすぐにたたきつけた。（セルツァー 一六八）

犬の急襲から絶命まで、文字どおり息もつかせぬアクションで描き切るセルツァーの筆は、今読んでも充分におもしろい。だが、気になるのは、このシーンをカットしてしまった映画本編は、どのようにして辻褄をあわせたのかということだ。

じつは、あの「電気カミソリ／はさみ」で息子の髪を切り落とす直前、映画本編では、父親のソーンはあの黒犬を地下に追いやっている。これは、ノベライゼーションにはない展開だ。つまり、映画本編ではもともと、あらかじめ黒犬を隔離しておいたにもかかわらず、ふたたびどこかからそれが姿をあらわし主人公を襲う、という展開が用意されていたのである。ゆえに、この急襲シーンそのものがカットされてしまえば、あえて黒犬を殺さなくとも、物語に破綻はないのであった。

一方で、そうした「事前の隔離」が書き込まれていないノベライゼーションでは、急襲の予感が繰り返し語られることで、じわじわと黒犬の脅威が身近に感じられるような工夫がなされている。

脚本家とノベライザーが兼務される場合も、映画は映画なりに辻褄をあわせ、小説は小説なりの辻褄あわせをする。かくして、映画本編への従属を拒絶し、みずからの小説としての完成を目指すとき、そのノベライゼーションは小説化というプロセスを終了し、ついに一本の「ノベル」となるのであった。

◉引用文献
サールズ、ハンク『ジョーズ2』平尾圭吾訳、サンリオ、一九七八年。
セルツァー、デヴィッド『オーメン　新装版』中田耕治訳、河出文庫、二〇〇六年。
平尾圭吾「訳者あとがき」『ジョーズ2』、一九七八年。

Jankiewicz, Patrick. *Just When You Thought It Was Safe: A Jaws Companion*. BearManor Media, 2013.

Harmetz, Aljean. "Publishers Turning Cool to the Tie-In Novelization of Movies." *New York Times*. 21 July 1981, Section C, p.7.

Seltzer, David. *The Omen*. Film script. 1975, www.dailyscript.com/scripts/Omen.pdf.

第5章　ノベライゼーションの現実

◉コラボレーションの取り分——ノベライゼーションとオリジナル・ストーリーの違い

ノベライゼーションが、さまざまな才能とさまざまな思惑のコラボレーションによって生み出されていることは、ここまでの検証でだいぶ明らかになってきた。では、そうしたチームプレーの代表者たるノベライザーは、その貢献度をどれくらいのものとして評価されているのか。率直にいって、彼らの取り分はいったいどれくらいのものなのか。

これについて、アーノルド・シュワルツェネッガーが主演した一九九〇年の映画『トータル・リコール』(*Total Recall*)のノベライゼーションを担当したピアズ・アンソニーは、次のように答えている。ランドル・D・ラーソンの分析的書誌『映画を書籍に』から引用してみよう。

脚本を読んで、引き受けることに決めたのだけれど、そのとき私が提示したのは「小説の印税の半分」という条件だった。（一般的には二パーセントのところを、五パーセント要求したわけだ）。作業時間からいっても、自分の作品を書いていればベストセラーリストに載るのだし、これくらいの条件でなければ割にあわない。（Larson 53）

アンソニーの場合、すでにファンタジーとSFの分野で名を知られているということもあり、制作会社との交渉も強気に進めることができたのだろう。ノベライゼーションは、要するに新作映画やドラマとのタイアップ企画――欧米では、タイイン（tie-in）と呼ばれる――の一種であるため、スタジオ側の人間ではない執筆者には、二パーセント程度の印税が妥当であるという。

ちなみに、「タイイン」という言葉は、映画関連のあらゆる小説やグッズ、ときには映画用にカバーやタイトルを刷新した原作小説のことも指す。ここで重要になってくるのは、映画やテレビ番組の内容を小説化した「ノベライゼーション」と、それ以外の外伝やスピンオフ企画といった「オリジナル・ストーリー」の違いであり、それらは契約形態も異なるという。国際メディア・タイイン作家協会のインタビュー集『タイド・イン』には、「もらえるとすれば、〔ノベライゼーションの場合は〕定価の一から三パーセントを印税として受け取る。これに対して、オリジナル・ストーリーであれば、六から八パーセントになる」（Goldberg 31）といった証言が載っている。このインタビューでは、質問者はさらに、「タイインやノベライゼーションの作家にとって、（もしも選べるとするならば）報酬は決まった額がいいのか、それとも印税の方がいいのか？」と尋ねてもいるのだが、これには一九三五年生まれの伝説的な「ゴーストライター」たるドナルド・ベインが、従兄弟の手がけた一九六六年公開のコメディ映画『電撃フリントＧＯ！ＧＯ作戦』（*Our Man Flint*）のタイイン作品を例にして答えている。

ドナルド・ベイン　昔、従兄弟のジャック・パールが『電撃フリントＧＯ！ＧＯ作戦』のタイイン作品を依頼されたことがあった。彼は売れっ子で、タイインやノベライゼーションを含む著作は一〇〇冊をくだらなかった。印税はなしだけれど多額の前金か、前金は少ないけれど印税が受け取れるという二者択一を前にして、御多分にもれずなにかと物入りの書き手であった彼は、前払いの多い方を選んだ。ところが本は大当たり。それからというもの、印税契約なしのプロジェクトを彼が引き受けることはなかったよ。（Goldberg 31-32）

さらに、映画『００７』シリーズのノベライゼーションを八年ほど手がけた、アメリカ人作家レイモンド・ベンソンもまた、ノベライゼーション（映画『００７』シリーズの小説版）とオリジナル小説（原作者イアン・フレミングの後継者として「ジェームズ・ボンド」シリーズの「新作小説」

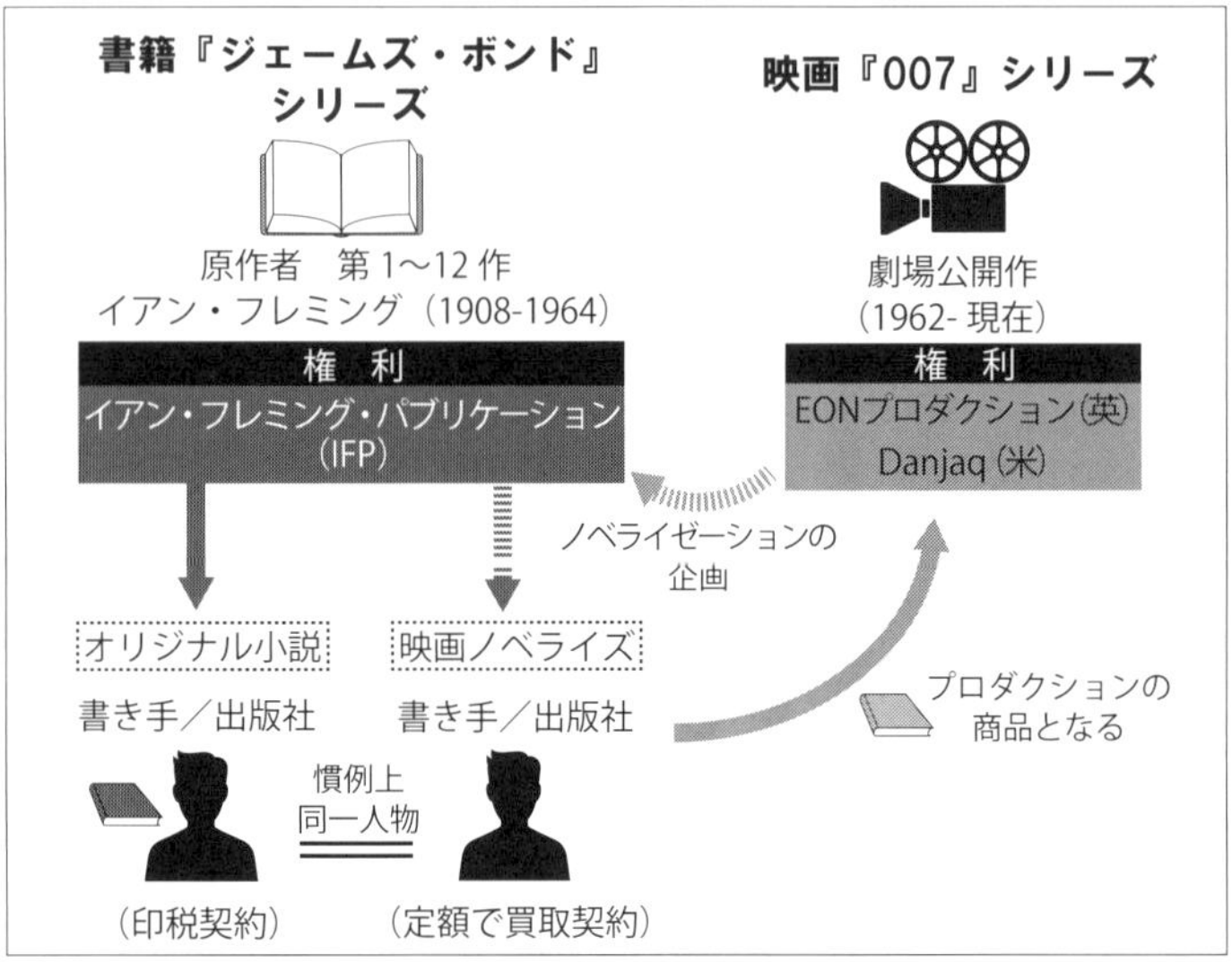

【図14】オリジナル小説とノベライゼーションの契約の仕組み

を書くこと）とでは、その契約相手の陣容すらも異なっていたことを明かしている。

オリジナル小説の場合は印税払いで、ノベライゼーションの場合は定額で買取になる。ノベライゼーションは、本当に〔映画制作会社の〕ＥＯＮおよび〔権利管理会社の〕Ｄａｎｊａｑのものだから、支払いも彼らがする。映画のプロモーション用商品の一つと考えられているんだ。仮にＩＦＰ〔イアン・フレミング出版〕がジェームズ・ボンド小説の制作に独占権をもっていなかったら、ＥＯＮは自分たちの気に入った作家にノベライゼーションを書かせることができただろう。でも、いろいろと複雑な契約のせいで、彼らはＩＦＰに行かなくちゃいけない。するとＩＦＰが作家を調達して、出版社を探す。これまでのところ、ＩＦＰは単純に、そのときオリジナル小説を書いている作者にノベライゼーションをまかせてきた――ジョン・ガードナーのときは彼に、私のときには私に、といった具合だ。でも、そうしなければならないというわけではない。コンティニュエーション・ノベル〔オリジナル小説のこと〕の契約には、ノベライゼーションもやるといった契約は入っていないからね。（Goldberg 208-09、強調原文）

ずいぶんと込み入った関係だが、これを図式化すると【図14】のようになる。ここで注目すべきは、原作者フレミングの名が冠せられた「イアン・フレミング・パブリケーション」と、映画シリーズをプロデュースしているＥＯＮ、そして映画の権利を有するＤａｎｊａｑという、企業間に生じている力関係だろう。『００７』シリーズは、まさに世界規模の市場を相手にした一大産業であって、その「コラボレーション」におけるノベライザーの立ち位置はあまりに危ういものなのだ。それでも、同シリーズの場合、書籍にはきちんとノベライザー自身の名前が印刷され、ノベライザー自身も、そのポジションを名誉なことととして受け入れる。

しかし、当然のことながら、そうした栄誉に浴することができるのは一握りのノベライザーに過ぎない。この業界の一番の問題は、文字どおりにゴーストライターとして搾取されてしまうケースであり、それは結果的に歴史に名を残すことになった名作映画の場合も例外ではなかった。

◉『スター・ウォーズ』の拡張宇宙とビッグバン

そもそも、プロモーション用商品としてのノベライゼーションは、制作会社にしてみれば、映画本編の付随物に過ぎない。もちろん、「ジェームズ・ボンド」シリーズの場合は、『007』という映画シリーズの上位（あるいは対等関係）に「原作小説」があり、さらにはその小説世界を引き継ぐ「オリジナル小説」あるいは「コンティニュエーション・ノベル」があるため、三者の力関係はいささか特殊なものとなっていた。けれど、映画作品それ自体が「原作」であった場合、プロモーション用商品として位置づけられた小説やコミックは、原作ファンにすらその存在意義を否定されることも珍しくない。

一九七七年の劇場公開から始まるとされる『スター・ウォーズ』(*Star Wars*)シリーズもまた、その前年にノベライゼーションが刊行されているのだけれど、やはりそうした傾向を生みやすい作品だ。タイイン書籍『スター・ウォーズ　クロノロジー』の監訳者・高貴準三は、同シリーズをとりまく状況を次のように解説している。

スピンオフ小説やコミック、ゲームでの設定は、近年では「エクスパンデッド・ユニバース（拡張宇宙）」と呼ばれるようになり、映画で描かれた設定と区別されているが、本書〔『クロノロジー』〕

は両方を統合した一大歴史研究書である。SW〔『スター・ウォーズ』シリーズ〕は映画以外の設定を認めたくない、という話を最近よく耳にするが、それは、九〇年代半ばまでは映画以外の作品の数も知れていたのが、『エピソード1』にはじまる映画新三部作の製作が本決まりになるのと並行して、小説作品などが加速度的に増加し、関連性がとても複雑になったからだろう。（高貴　二五〇）

これが書かれたのは二〇〇二年（原書は二〇〇〇年）のこと。言及されている『エピソード1』は、一九九九年に公開された新シリーズ第一作のことで、当時日本で発売された『スター・ウォーズ完全基礎講座』にも、「スター・ウォーズ・ユニバース」の拡張ぶりが報告されている。

1991年、スター・ウォーズが静かな復活を遂げた。ヒューゴ賞作家のティモシー・ザーンによる続編小説『帝国の後継者』が発売されたのだ。映画でこそなかったが、全世界待望の続編ということでたちまちベストセラーを記録したのである。〔中略〕

ザーンによる続編小説の成功は、さらに多くの作品を世に送り出す原動力となった。なみいる著名SF作家がこぞってスター・ウォーズ・ユニバースに新たな歴史を加え始めたのである。作品ごとの詳しい解説は別の機会に譲るが、続編小説の発表は現在でもなお続いており、すでに70タイトルを超す作品が発表されている。〔中略〕邦訳された作品はほんの一部だが、本国アメリカでは毎週のように新作コミックが発表され、ファンはまさに嬉しい悲鳴を上げているのだ。

（トーキョー〝スター・ウォーズ〟評議会　六五―六六）

小説のみならず、コミックやゲームといったものまで含めると、「ユニバース」の広がりはたしかに果てしない。ましてや、二〇一五年に始まるJ・J・エイブラムス監督による新シリーズの後を生きる現在のファンたちは、当時よりもいっそう広い宇宙にいることになり、結果として、ノベライザーの個性は相対的に小さく、弱くなり続けているといえるだろう。

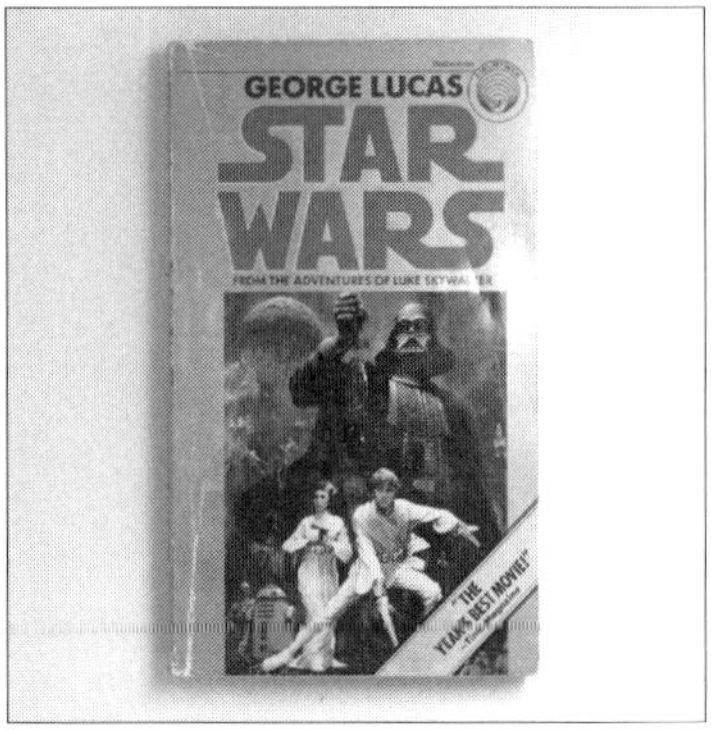

【図 15】『スターウォーズ／ルーク・スカイウォーカーの冒険より』の書影

拡張を続ける「スター・ウォーズ・ユニバース」。だが、その歴史の始まりに目を向けると、興味深い事実が浮かび上がってくる。いうまでもなく、シリーズの始まりは一九七七年公開の映画『スター・ウォーズ』にあるのだが、プロモーション用商品たるノベライゼーションの発売は、その前年のことであった。つまり、「ユニバース」のビッグバンとされるべきは、『スター・ウォーズ／ルーク・スカイウォーカーの冒険より』と題されたペーパーバック版のノベライゼーションであり、それはすべての関連作品にさきがけるかたちでこの世に産み落とされたのであった。

◉ゴーストライティングの依頼

一九九九年の新エピソード公開をにらんで、小説『スター・ウォーズ／ルーク・スカイウォーカーの冒険より』は版を新たにし、タイトルも『スター・ウォーズ　エピソードⅣ——ニューホープ』（*Star Wars: A New Hope*）へと変更された。ちなみに、このノベライゼーションの著者は、ジョージ・ルーカス監督本人とされている。しかし、この新版に寄せられたルーカスの序文には、事情を知らない未来の読者を驚嘆させる「真実」が、きわめて自然な筆致で綴られていた。

一九七六年十二月〔実際は十一月〕、ペーパーバック版の小説『スター・ウォーズ／ルーク・スカイウォーカーの冒険より』が、バランタイン・ブックスから刊行された。わたしが書いた『スター・ウォーズ』の脚本を、アラン・ディーン・フォスターがわたしの名で小説に仕上げてくれたのだ。（ルーカス　三）

さらりと書かれた「真実」。要するにそれは、このノベライゼーションにはゴーストライターが存在しているという、業界としてはさして珍しくもない事実であった。ちなみに、「わたしの名で小説に仕上げてくれた」という箇所を原文であたるならば、それは“The book was ghostwritten by Alan Dean Foster from my screenplay of the film.”とあり、いまだ同書のクレジットには原著者として印刷されているルーカスみずからが、これを「ゴーストライト」（代作）されたものであると認めたかたちになっている。つまり、『スター・ウォーズ』のノベライザーは、あろうことかこれから拡張を始める「ユニバース」の誕生の瞬間にあって、その存在をほとんど無に等しいものとされてきたのであり、そうした立ち位置は、このようにルーカス本人から楽屋裏を話されてもなお変わらずにいたのである。

当時の状況を、ジャーナリストのクリス・テイラーは、その著書『スター・ウォーズはいかにして宇宙を征服したのか』において、次のように再現している。

> ルーカスは当初、ノベライズの執筆をUSC時代の友人ドン・グラート〔ドナルド・グルートのこと〕に頼もうとしていた。グラートから売り込みの電話があったからだ。グラートはその電話で「スペース・ウォーズっていう映画をつくってるらしいな。俺に何かできることはないか?」と言った。ルーカスはグラートにこの仕事を依頼したが、条件が二つあった。まず、報酬は五〇〇〇ドルで、印税契約ではないこと。それから、フォックスはルーカスを著者にしたがっていること。つまり、それはゴーストライターとしての仕事になる。「ありがとう《サンキュー》」グラートは言った。

「だが、結構だ《ノー・サンキュー》」（テイラー　三七八―七九、強調原文）

こうして第一候補に断られたルーカスたちだったが――ちなみに、ドナルド・グルートは、第二作『帝国の逆襲』（*Star Wars: The Empire Strikes Back*, 1980）でノベライゼーションを担当した――、次に声をかけたアラン・ディーン・フォスターは、同じ条件で執筆にとりかかり、二ヶ月かからぬうちにノベライゼーションを完成させたという。また、フォスターがルーカスたちと結んだ契約には、ノベライゼーションのほかに、タイイン作品としてのオリジナル小説の執筆があった。小説のタイトルは『侵略の惑星』（*Splinter of the Mind's Eye*, 1978）。すでに確認した『００７』シリーズと同様に、こちらについては印税契約だったという。

【図 16】『侵略の惑星』の書影

ところが、同書の企画会議の席で、フォスターは驚くべき提案をルーカスから受けることになる。二〇一七年のネット記事から、フォスター自身の言葉を交えて引用しておこう。

「打ちあわせの途中で、ルーカスが突然提案してきたんだ、『ところで、ノベライゼーションの印税だけど、半分は君

【図 17】『フォースの覚醒』の書影

のものにしよう』ってね」。フォスターは驚いて「そんなことする必要はないです」と言ったものの、ルーカスは譲らなかった。

フォスターはルーカスに感謝を伝えたが、そのときは、それが大した儲け話でもないと思っていたという。映画『スター・ウォーズ』も、この時点ではまだ公開されていなかったし、先行発売された小説の方も、ベストセラーにはまだなっていなかったからだ。

「もちろん、結果的にとんでもないことになったわけさ！」とフォスターは笑う。つまるところ、自身の脚本を小説化した著者の利益となるように、ジョージ・ルーカスは事後的に契約を書き換えたのである。（Britt "How George Lucas Made a Young, Anonymous Author Rich"、強調原文）

かくして、フォスターのノベライゼーションとオリジナル小説は、拡大するスター・ウォーズ・ユニバースのビッグバンとして、長く世界中のファンに愛読されることとなる。

そして、二〇一五年。J・J・エイブラムス監督による新たな『スター・ウォーズ』シリーズは、その第一作のノベライザーとして、フォスターを起用した。もちろん、書店に並んだ小説版『スター・

【図18】『カプリコン・1』のアメリカ版(左)とイギリス版(右)の書影

ウォーズ——フォースの覚醒』(*Star Wars: The Force Awakens*)の表紙には、「アラン・ディーン・フォスター」の文字が大書され、それはあたかも、彼らの宇宙の再始動を宣言するかのようであった。

◉複数のノベライゼーション——英米の『カプリコン・1』

一九七〇年代のノベライゼーション・ブームのなかでも、一九七七年に公開された映画『カプリコン・1』のケースはとりわけ興味深い事例である。というのも、同作はアメリカとイギリスの合作ということもあり、そのノベライゼーションもまた、両国で別々のバージョンが執筆され刊行されたからだ。

アメリカ版のノベライザーであるロン・グーラートは、当時三〇代半ばの中堅ライターで、一九七〇年代だけでも八〇冊以上の著作を発表する多作ぶりだった。グーラートによる『カプリコン・1』の書き出しをみてみよう。

太陽が、強烈なオレンジ色の球体が、大西洋上に昇り始める。

おだやかな風が青い水面を撫でていく。

「皆様、おはようございます。カプリコン司令塔から、ポール・カニンガムがお送りしております。時刻は東部標準時の六時から三分経過したところです。まもなく発射三時間三十一分二十五秒前……」

遠くにぼんやりと見える。朝の水平線に立つ、小さな白い針。

その声は、薄暗いモーテルの部屋でわずかに反響した。シーツの乱れた広いベッドの端に座った裸同然の赤髪の女は、わずかに前かがみになってテレビを観ていた。〔中略〕

「現在すべてのシステムは作動し、ライトもすべてグリーンです。〔中略〕」

痩せた、くせっ毛の男は、いまだねじれたシーツのなかで寝ぼけたまま、ごろりと仰向けになった。彼はいびきをかきはじめた。

「静かにして」とテレビを観たまま女は言う。「歴史的瞬間なのよ。目を離すわけにはいかないの」と。（Goulart 5-5）

太陽をバックに屹立するのは、火星を目指す有人ロケット「カプリコン・1」。映画のオープニング同様に、小説もまたロケット打ち上げのテレビ中継とともに幕を開ける。ただし、映画本編との違いは、そのテレビ中継を観ている女と、さらにはその隣で惰眠を貪る男――この物語の主人公でジャーナリストのコールフィールドが、物語の始まりから登場していることだろう。

コールフィールドの登場の早さは、イギリス版でも同じだ。やはり『カプリコン・1』と題されたそのノベライゼーションの著者は、バーナード・L・ロス。ところがこのロス版『カプリコン・1』の世界は、そのオープニングからしてずいぶんと雰囲気が異なる。なにしろそこでは、ヒューストンという「街」そのものが、コールフィールドの連れの「女」と重ねあわされ、いかにも軽薄なパルプフィクションといった様相を呈しているのである。書き出しの部分を、訳して引用してみよう。

もしも街が淑女であるなら、ヒューストンは娼婦だろう。

第一、彼女はデカい——いや、土地とか人口の規模ではなくて、まるでカクテルドレスに体を包んだ乳搾りの女のように、背丈があって、野卑な感じで、肉感的なのだ。一年のうち半分は、夏の蒸し暑さに汗をかき、身にまとった安物の香水が、粗製油や硫黄や石油化学製品の匂いとまざりあっている。

彼女はミシシッピ川の沖積平野に腰を下ろしている。その真っ平らな景観に変化を与えるのは、いくつかの低い丘や点在する松の木、ボサボサの草、そしてねじれたナラの木だけ。〔中略〕

どんな高級娼婦にも、必要なのは取り巻きだ。夢見ているのは、若く逞しく、知性と容姿に恵まれ、金に不自由なく勇気もあるような男たちに囲まれること。そして今、この国の宝のような若者たちのなかから、男たちが選ばれた。ヒーローたる彼らはみな、宇宙飛行士なのである。後ろのボックスにいる金髪女。彼女もまた娼婦であり、ボブ・コールフィールドもそのことは承知していた。彼女をみつけたのは宵の口——いや、真夜中だな——で、そのときはまだ素面だったから、興味ももたなかった。つまり、こいつは娼婦だなと分かるくらいに素面だったというわけだ。女は髪を脱色していて、化粧は濃く、体はふくよか過ぎて服がピチピチだった。座ってしまうと、チビだった。「ずんぐりとした小娘だな」とコールフィールドは思った。

(Ross 7-8)

文章のトーンの違いもさることながら、英米双方のノベライゼーションを比較してみると、描写の密度の濃さと、それに由来する量的な違いにも気づかされる。イギリスのロス版はアメリカのグーラート版に比べて、一・八倍の語数となっている。当然、「読みごたえ」という点ではイギリス版の方に分があり、たとえば、コールフィールドらを乗せた複葉機と二台のヘリコプターが空中で繰り広げるラストの追走劇シーンでは、その質的な差が歴然としている。とはいうものの、どちらの版も、やはりプロモーション用商品であることに変わりはなく、ペーパーバック版では行数とフォントサイズがそれぞれに調整され、英米で二一九ページ対一八九ページといった具合に、ページ数はあまり変わらない。

ちなみに、これは後日譚の部類に入るのだろうが、じつは、当時まだ専業作家ではなかったイギリス版のノベライザーは、本書を上梓した同年、アメリカの出版社から刊行された『針の眼』（*Eye of the Needle*）なるスパイ小説によって、一躍世界的なベストセラー作家となる。そう、「バーナード・L・ロス」とは、あの『大聖堂』（*The Pillars of the Earth*, 1989）を代表作にもつケン・フォレットの、若き日のペンネームの一つであり、ゆえに、このイギリス版の『カプリコン・1』を今読み直すという行為には、ノベライゼーション史の一ページを知るということにとどまらず、一人の小説家が世界に羽ばたくまでの道程を確認するという、作家研究的な意義すらも含まれるのである。

◉主人公の名前が変わるとき――『トータル・リコール』の紆余曲折

繰り返しになるが、ノベライゼーションの基本は、脚本の小説化である。にもかかわらず、商品としてのノベライゼーションとはあくまでも映画の小説化でなくてはならず、その体裁を繕うためにも、たとえば主人公の名前が変更されるようなときには、たとえ版を変えてでも、その修正を小説に反映させなければならない。もちろん、映画本編との辻褄をあわせた修正版だけが公式ノベライゼーションとして刊行されていれば、そうした作業も企業秘密の一つとして表沙汰にならないだろう。だが、たとえば、本章の冒頭でふれた小説『トータル・リコール』の場合、ハードカバー版（一九八九年）の刊行後に映画が完成したため、映画公開時に他社から発売されたペーパーバック

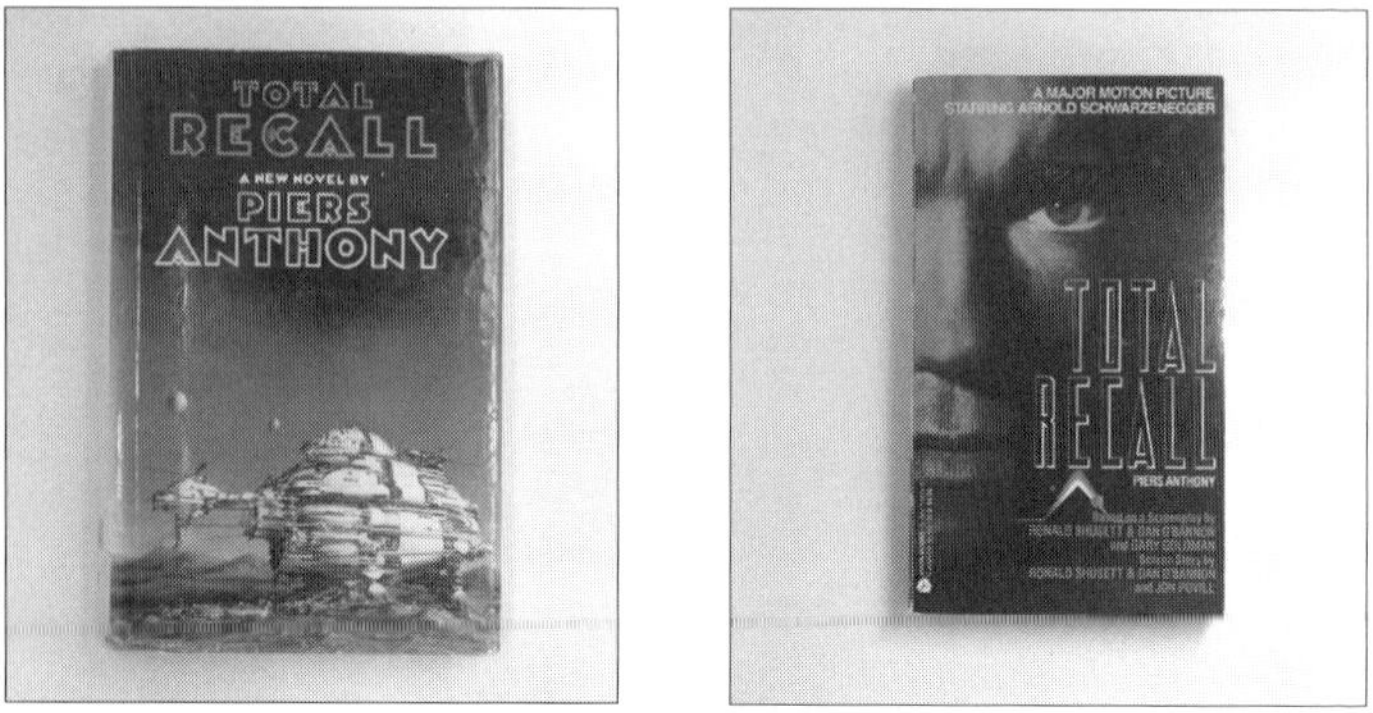

【図19】『トータル・リコール』ハードカバー版（左）とペーパーバック版（右）の書影

版（一九九〇年）には、新たな修正が加えられ、異なった内容の同タイトル書籍が市場に出回ることとなった。

　状況を整理しておこう。そもそも、映画『トータル・リコール』の原作は、フィリップ・K・ディックが一九六六年に発表した短編小説「追憶売ります」（“We Can Remember It for You Wholesale”）である。そして、ハードカバー版のノベライゼーションは、同短編から書き起こされた初期脚本に基づいている。また、ハードカバー版は映画が完成する前には仕上がっていたため、映画本編におけるディテールの変更を反映させることができなかった。そのため、たとえば原作の短編小説とハードカバー版では、主人公は同じ「クウェイル」（Quail）とされているのだが、映画本編とペーパーバック版では、いずれも「クウェイド」（Quaid）に変更されている、といった事態が引き起こされた。

　同映画の日本公開にあわせて出版された日本語版では、「なぜクウェイドになったかはわかりませんが、クウェイル（quail）

には鳥のウズラのほかに『おじける』とか『弱気になる』という意味もありますので、そのせいでしょうか。あるいは、アメリカ副大統領の名前と音が同じせいかもしれません」（日暮　三四七）と、訳者の日暮雅通もこの違いに言及している。どうやらその推測はおおむね正しかったようで、二〇〇七年に出版されたジェイソン・P・ヴェストの研究書『不完全な未来――フィリップ・K・ディックとその映画』にも、当時の状況が以下のように詳細に説明されている。

シュワルツェネッガーをキャスティングしたことで、脚本は修正され、クウェイドの役柄はこの俳優の無骨なイメージにあわせられた。もっとも抜本的な修正として、役名も変更された。ディック作品では、主人公の名前はダグラス・クウェイルといい、この男の二つの側面を見事に言い当てるものだった。つまり、最初の頃のおどおどしながらも不平たらたらなふるまいにもぴったりであるばかりか、物語全体を通じてインタープラン・ポリス・エイジェンシーの捜査官たちの獲物（ゲーム・バード）とされてしまう彼の立場をも象徴していたのである。しかしながら、映画のプロデューサーにしてみれば、映画『トータル・リコール』の主人公がそのような意気地なしと思われるのは避けたかったし、かつまた、制作当時アメリカの副大統領であったダン・クウェイル（Quayle）を引きあいに出されようものなら、観客も気分が削がれてしまうであろうと反対したのだ。結果的に、クウェイルの名前はより男性的なクウェイドに変

更された。（Vest 49）

ヴェストによれば、登場人物の名前の変更は、監督や脚本家の提案ではなく、プロデューサーの意思だったとされている。では、その決定は、いったいどのようなタイミングで行なわれたのだろうか。

主演のアーノルド・シュワルツェネッガーの回想録『トータル・リコール――信じられない真実の自伝』によると、映画『トータル・リコール』の脚本は長いことたらい回しにされ、すでに何度かは実際に制作されかけていたという。しかしながら、その権利保持者が資金難に陥ったとき、真っ先に動いたのはシュワルツェネッガー本人であった。彼は、当時急成長をしていた映画プロダクションのカロルコにその権利を買い取らせたばかりか、すぐさま監督候補のポール・バーホーベンに宛てて脚本を送りつけるよう指示したという。

それが一九八八年秋のことだった。脚本の書き直し、ロケーション決め、そして制作準備とトントン拍子に進み、三月の終わりにはメキシコシティのチュルブスコ・スタジオで撮影を始めた。全編を撮り終えるのに、我々は夏いっぱいをかけたんだ。（Schwarzenegger 346）

この証言が正しければ、一九八八年の秋に映画の権利はカロルコのものとなり、一九八九年三月には映画の撮影が始められていたことになる。先に引用したランドル・D・ラーソンの著書『映画を書籍に』によると、ノベライザーを担当することになったピアズ・アンソニーもまたカロルコから脚本を受け取ったとされており、ハードカバー版の刊行が一九八九年九月であることを考えると、その執筆期間は、映画撮影同様に一年もなかったことが分かる。また、件のダン・クウェイルが副大統領に就任するのは一九八九年一月のことだから、彼のことを考慮しての主人公の名前変更は、撮影開始直前か、それ以降のことであったのだろう。ラーソンによると、制作会社から脚本を受け取ったものの、アンソニーは最後まで撮影所とコンタクトをとることはなかったらしく、結局、主人公の名前の変更というきわめて重要な修正をノベライザー側が知ったのは、ハードカバー版を刊行した後のことだった。

◉一九七九年の脚本

こうして、ポール・バーホーベンを監督とする映画の制作と、ピアズ・アンソニーを著者とするノベライゼーションの執筆は、ほとんど同時期に行なわれることとなったのだが、次に挙げるバーホーベンのインタビューから明らかになるのは、アンソニーが受け取った脚本というのが、主人公の名前こそ変更されていないものの、大筋においてバーホーベンが手を加えた初期バージョンの脚本であったであろうということだ。

映画『トータル・リコール』については話が長くなる。最初の脚本は一九七九年のもので、最初の映画『エイリアン』を書いたロン・シュゼットとダン・オバノンによって執筆された〔中略〕。そして私が脚本を手にしたときには、目を通して選び出すための二五とおりの下書きがあったのだけれど、撮影しようと思ったら、まずはアーノルド〔・シュワルツェネッガー〕にふさわしいものを選ばねばならなかった。〔中略〕でも、脚本は、たとえばウディ・アレンのような役者を想定していたから、我々は徹底的に脚本を書き直さなければならなかったし、結末部分もまるっきり変えなくちゃならなかった。（Barton-Fumo 68）

この証言で驚かされるのは、採用候補としての脚本が（単なる改稿の積み重ねではなく）二五とおりもあったということだ。しかも、その最初期のものは一九七九年にまで遡るといい、おなじフィリップ・K・ディック原作の映画『ブレードランナー』（*Blade Runner*, 1982）の準備期間と重なってもいるのだった。一方で、ポール・バーホーベンの証言が正確であったならば、シュワルツェネッガーを想定した筋骨隆々の男性を主人公とする脚本はバーホーベンの加筆後のものであり、そうであるならば、「クウェイル」の肉体を逞しいものとして描いているアンソニーのノベライゼーションもまた、バーホーベン版の脚色の影響下にあるといっていいだろう。

ふたたびラーソンの引用するアンソニーの手紙を参照してみれば、彼はそうして受け取った脚本を「忠実」に小説化したといいつつも、一方で、細部においては原作のディック作品を参照したり、また、科学的な整合性をとったりという独自の加筆も多く行なったと主張している。「作家としての私自身の声は、主にダイアローグ前後のテクスト、思考や傍白、それから追加されたチャプターなどに響いている」とアンソニーはいう。「それができたことは驚きだったけれど、それが証明してくれたのは、書き手としての私の力量が、必ずしもプロットやダイアローグによるものではないということだ。なにしろ、それらは私の管轄外だったわけだからね」(Larson 54)。

かくして、ポール・バーホーベンを筆頭とする、何人もの手を介して生み出された脚本との「コラボレーション」を楽しんだというアンソニーだが、一九八九年九月のハードカバー版刊行直後には、想定外の編集作業に追われることになる。同映画の全米公開は、一九九〇年六月。主人公の名前ばかりでなく、さまざまなシーンで、映画本編にあわせた加筆修正が行なわれた。アンソニーは述懐する。

結果として、いくつかのエラーが残ってしまった。私はいまだにその責めを負っているのだけれど、その主なものは、同じ行為が繰り返されてしまっていること。たとえば、最初の方でシャ

ワーから出てくるシーンみたいなところがね。（Larson 54）

映画との整合性をとったつもりが、結果的にエラーを生んでしまったというアンソニー。ここに例示されているペーパーバック版の誤りとは、以下のようなものだ。

クウェイドはリラックスし、そして出てきたロリと入れ替わるようにしてシャワーに入った。彼女の肉体はギラリと光った。

〔ここから二ページほど中略〕

ロリが浴室から姿を現す。その肉体はギラリと光り、このなめらかでエレガントな金持ち女が自分のなかに何をみているのだろうかと、クウェイドはまた不思議に思った。

（Anthony [1990] 13-16）

たしかに、クウェイドの妻ロリは、シャワーから出るという動作ばかりか、その濡れた肉体を形容する「ギラリと光る」（glistening）という表現までが反復されている。通常の小説で、このような校正ミスが起こることは（ほとんど）考えられないが、それだけノベライゼーションの現場が切羽詰まった状態にあったともいえるだろう。

そして、翻訳者もまた、アンソニーらと同様に、訳書の刊行に際しては「ハードからペーパーへの改訂作業に追われました」（日暮　三四七）という。ただし、日本語版の関係者たちは、改訂の途中で右のようなエラーにも気がつけたようだ。というのも、翻訳では、先の引用の前半部分はカットされ、日本語読者が混乱しないように「加筆」の部分が、訳語によって整えられているのである。不幸中の幸いというべきか、フィリップ・K・ディックのアダプテーション作品としての映画『トータル・リコール』のノベライゼーションは、最後にトランスレーションというプロセスを経て、作品としての「コラボレーション」を成し得たのである。

●引用文献

アンソニー、ピアズ『トータル・リコール』日暮雅通訳、文春文庫、一九九〇年。

アンダースン、ケヴィン・J、ダニエル・ウォーレス『スター・ウォーズ・クロノロジー』上下、横沢雅幸、高貴準三監訳、ソニー・マガジンズ文庫、二〇〇二年。

高貴準三「解説――千年ひと昔」『スター・ウォーズ・クロノロジー』下、二〇〇二年。

テイラー、クリス『スター・ウォーズはいかにして宇宙を征服したのか』児島修訳、パブラボ、二〇一五年。

トーキョー〝スター・ウォーズ〟評議会『スター・ウォーズ完全基礎講座』扶桑社、一九九九年。

日暮雅通「訳者あとがき」『トータル・リコール』、一九九〇年。

ルーカス、ジョージ『スター・ウォーズ　エピソードⅣ　新たなる希望』上杉隼人、杉山まどか訳、講談社文庫、二〇一五年。

Anthony, Piers. *Total Recall*. William Morrow & Co, 1989.

—. *Total Recall*. Avon Books, 1990.

Barton-Fumo, Margaret, ed. *Paul Verhoeven: Interviews*. UP of Mississippi, 2016.

Britt, Ryan. "How George Lucas Made a Young, Anonymous Author Rich." *Inverse*. 2017, www.inverse.com/article/31165-may-the-4th-star-wars-day-alan-dean-foster-george-lucas.

Forster, Alan Dean. *Splinter of the Mind's Eye*. Del Rey, 1978.

—. *Star Wars: The Force Awakens*. Del Rey, 2015.

Goldberg, Lee. ed. *Tied In: The Business, History and Craft of Media Tie-In Writing*. International Association of Media Tie-in Writers, 2010.

Goulart, Ron. *Capricorn One*. Fawcett, 1978.

Larson, Randall D. *Films into Books: An Analytical Bibliography of Film Novelizations, Movie, and TV Tie-Ins*. Scarecrow, 1995.

Lukas, George. *Star Wars: From the Adventures of Luke Skywalker.* Ballantine, 1976.

Ross, Bernard L. *Capricorn One*. Future Publications, 1978.

Schwarzenegger, Arnold, Peter Fetre. *Total Recall: My Unbelievably True Life Story.* Simon & Schuster, 2012.

Vest, Jason P. *Future Imperfect: Philip K. Dick at the Movies*. Praeger, 2007.

第6章 『かいじゅうたちのいるところ』を探して

◉ワイルド・シングズとは誰か

ドキュメンタリー映画『みんなのしらないセンダック』（*Tell Them Anything You Want: A Portrait of Maurice Sendak*, 2009）をご存じだろうか。これは、映像作家スパイク・ジョーンズが、世界的に有名な絵本作家モーリス・センダックを相手として、仲間のランス・バングスとともに彼の創作の秘密に迫るといった、テレビ放送用の作品である。そこに映し出されるセンダックは、彼の代表作となる絵本『かいじゅうたちのいるところ』（*Where the Wild Things Are*, 1963）に登場する少年マックスのように奔放であり、同時に、そのマックスと大騒ぎをするあの「かいじゅう」のように目をぐるぐる回して本音を語る。

スクリーンのなかで、みずからの作中人物／怪物とオーバーラップしていく絵本作家。この現象はいったい何であろうかと、関連する彼のインタビュー記事に目をとおしてみれば、あの「かいじゅうたち」の姿かたちは、幼い頃にみた彼自身のおじやおばがその原型であるという。

一九六三年に出版された絵本『かいじゅうたちのいるところ』は、センダックにとって初めてのオリジナル作品であり、それまでの挿絵画家としてのキャリアを「見習い期間」とする彼は、いよいよ自分の絵本に取りかかるタイミングだと考えたという。

それで、『やせいのうまのいるところ』〔*Where the Wild Horses Are*〕というタイトルを思いついて、編集者のところへ持ち込んだ。彼女は気に入って、すごく詩的で、想像力を刺激されるって言ってくれた。それで契約をもらったんだけど、ほんの数カ月後には、すっかりあきれられてしまった。私は馬が描けなかったんだ。

〔中略〕

それで、もう何でもいいと思った。〔And so, I thought, well, things. Things.〕描けるものなら何でもいいんだ、描けないものを無理して描くことはない。それで思い出したのが、兄や姉とユダヤ教式の喪に服した時のことだった。「祖国」の親戚がよく訪ねてきたんだけど、門が閉じる前に脱出できた数少ない人たちで、みんな母方だった。

英語が話せなくて、薄汚い身なりをしてた。歯も汚いし、鼻毛は伸び放題でね。それが私たちを抱きあげて、ハグして、キスして、「うーん、食べちゃいたいほどかわいいね」〔"Aggghh. Oh, we could eat you up."〕って言うんだ。

子供のころは本気で食べられるかと思ったもんだ。この人たちはほんとに何でも食べるんだって。つまり、これがかいじゅうたち〔the Wild Things〕だったんだよ。(マクスウィニーズ社 五)

「野生の馬たち《ワイルド・ホーシズ》」から「かいじゅうたち《ワイルド・シングズ》」へ。もちろん、テレビ画面に映った七〇代後半のセンダックは、服装もこざっぱりとしていて、ここで回想されているような戦中の親戚たちとはまったく違う。けれど、そのぎょろりとした目つき、たくわえられた白いあごひげ、そしてシニカルなのにいつまでも熱を失わない語り口……といったものは、彼自身もまた「野生状態《ワイルド・シングズ》にあるものたち」の一人であることを雄弁に物語っている。

絵本のなかの少年マックスは、さんざんにイタズラをすることで母親を困らせ、挙句の果てに「この　かいじゅう〔WILD THING〕!」(センダック)といったお叱りを受けるのだが、夕飯抜きで部屋に閉じ込められた彼が夢想するどこか遠くの島のジャングルは、マックスの「男の子らしさ」=「野生状態」を肯定するかのようにぐんぐんと育ち、やがて彼をそのジャングルに棲むかいじゅうたち《ワイルド・シングズ》の王様として受け入れてしまう。このとき、少年を担ぎ上げ、お祭り騒ぎをするかいじゅうたちは、まるでかつてのセンダック少年をハグしてキスした親戚たちのように、恐ろしいけれど愛おしい存在となる。

だが、この幸福な時間は長くは続かない。なぜなら、王様となったマックスはもはや純粋なイタズラに一喜一憂できず、他方で、本来の野生状態を失ってしまったかいじゅうたちは、もはやちっとも「ワイルド」ではないからだ。どうやら、野生状態を善きものとして保ち続けることは、老若男女にかかわらずとても難しいことらしい。結局、マックスは冒険のすべてを巻き戻し、母親の持ってきてくれた温かな夕食に帰り着くのだが、このように全体を振り返ってみるとき、いったいこの物語において「ワイルド・シングズ」であるというのはどういうことなのか、私たちは確信をもって語ることが難しくなる。

ドキュメンタリー映画『みんなのしらないセンダック』でも詳細に語られるように、絵本をとりまく環境は、一九六〇年代アメリカといえども、まだまだ保守的なものだった。いまでこそ名作と謳われる『かいじゅうたちのいるところ』もまた、その「ワイルド」をめぐる描写はもとより、少年マックスに対して夕食抜きを命じる母親像に対しても厳しい批判が寄せられたという。当時を思い出し、声を荒げるセンダック。彼に共感を示しながらも、自身の知らない一九六〇年代に思いをはせるジョーンズ。一九七〇年代をみずからの少年時代として過ごしたこの映像作家は、じつはこのとき、二〇〇〇年代を生きる一人の大人として、あらためてセンダックの描いた「ワイルド・シングズ」の正体に迫ろうとしていた。そう、絵本『かいじゅうたちのいるところ』の実写化企画である。

◉「かいじゅうたち」の映画化と小説化

いわゆる正統派の商業映画とはいえない『マルコヴィッチの穴』（*Being John Malkovich*, 1999）で長編映画デビューを果たしたスパイク・ジョーンズは、過激なイタズラ番組『ジャッカス』（*jackass*）の総監督を務めるなど、日常非日常を問わずに存在する「ワイルド・シングズ」を愛し、その生態を彼らと同じ目線で描き出すことのできる稀有な映像作家だ。それゆえに、センダックが『かいじゅうたちのいるところ』の映像化を彼に託したことは、どちらのファンにとっても喜ばしいことだったろう。そしてさらに、ジョーンズは、一つ年下の作家デイヴ・エガーズを共同脚本家に指名する。

映画『マルコヴィッチの穴』公開の翌年、ノンフィクション作品『驚くべき天才の胸もはりさけんばかりの奮闘記』（*A Heartbreaking Work of Staggering Genius*, 2000）によって作家デビューを果たしたエガーズは、ジョーンズに企画を持ちかけられた時点では、まだ二作目の単著となる長編小説が刊行されたばかりの新人作家だった。この『驚くべき天才の胸もはりさけんばかりの奮闘記』という不思議なタイトルの作品は、両親を病気で失ったエガーズが、八歳の弟とともに駆け抜けた日々のメモワールである。もはや「ワイルド・シング」ではいられない青年と、みずからが「ワイルド・シング」であることを自覚していない少年の物語は、全米でベストセラーを記録した。ジョーンズは、そんなエガーズの才能に、ずいぶんと前から注目していたという。

二人の出会いを、エガーズは次のように回想している。

二〇〇三年のある日、スパイク・ジョーンズからいきなり電話がかかってきて、この本〔『かいじゅうたちのいるところ』〕をもとにした映画をいっしょに作らないかといわれた。〔中略〕

私たちは何年も（何十年も？）かけて脚本を仕上げていったが、その間に、妥協なき真の芸術家にして誠実なるひと、センダック氏に会うことができた。センダック氏は、ある日、私に電話をかけてきてこう言った――自分を含めて何人もが思いついたのだが、ここに積まれた素材から小説が書けるのではないだろうか、と。そして彼は、私に書いてみないかときいてくれた。（エガーズ　二八一―八二）

かくして、二〇〇九年には映画『かいじゅうたちのいるところ』（*Where the Wild Things Are*）と、小説『かいじゅうたちのいるところ』（*The Wild Things*）が、それぞれ日の目をみることとなる。それは、三人の男性を創造主とする、三者三様の「ワイルド・シングズ」。ただし、若い世代による二作品と、原作とされるセンダックの絵本のあいだには、通常の映画化・小説化よりも、いくぶん複雑な関係が生じることとなった。

◉アダプテーションとしてのノベライゼーション

まず、エガーズによる小説版の扉ページには、図のようにフォントサイズを変えながら、三人の名前がクレジットされている。

THE WILD THINGS
A NOVEL BY DAVE EGGERS
ADAPTED FROM THE ILLUSTRATED BOOK
"WHERE THE WILD THINGS ARE"
by
MAURICE SENDAK
AND BASED ON THE SCREENPLAY
"WHERE THE WILD THINGS ARE"
co-written by D.E. and
SPIKE JONZE

【図20】エガーズによる
小説版『かいじゅうたちのいるところ』扉ページ

ザ・ワイルド・シングズ
デイヴ・エガーズによる小説

翻案のもととなった絵本
『かいじゅうたちのいるところ』
の作者は
モーリス・センダック

そして本書が基づく脚本
映画『かいじゅうたちのいるところ』
の書き手はDEと
スパイク・ジョーンズ

こうしたフォントサイズの使い分けからも、本書もまた、ノベライゼーションの特徴の一つである権利関係の複雑さに神経をとがらせていることが分かるだろう。すなわち、原作絵本の作者センダックと原作映画の監督にして共同脚本家ジョーンズに対する敬意が、そのフォントの大小に示されているのだ。

その一方で、「翻案」と「基づく」というふうに訳し分けた言葉が、原文では「アダプティッド・フロム」（adapted from）と「ベースド・オン」（based on）となっていることも見逃してはならない。ノベライゼーションのクレジットとして、後者の「～の脚本に基づく」という書き方は決して珍しくないが、あまり「～からアダプトした」という表記は目にすることがない。そもそも、ここでいう「アダプト」とは、「アダプテーション」というその名詞からも分かるとおり、同一とされる物語内容の異なるメディア間における移植といった意味をもっており、それは主に小説の映画化の際に用いられる。つまり、今回のケースでいえば、エガーズのノベライゼーションに先行する、ジョーンズの映画化こそが「アダプテーション」であり、本来であれば、そうしたアダプテーション（映画化作品）のさらなるノベライゼーション（小説化作品）というのが、エガーズ作品の位置づけとなるはずなのだ。

だが、すでにエガーズの証言にもあったように、今回のノベライゼーションは、センダックから直接依頼を受けたものであり、それはジョーンズの映画化とあまり変わらない水準での「アダプテーション」となりうるものだった。だからこそ、小説版『かいじゅうたちのいるところ』は、あくまでも「デイヴ・エガーズによる小説」(A Novel by Dave Eggers) なのであり、事実、その創作行為は全面的にエガーズの裁量に任されることとなった。

◉センダックとの対立

アダプテーションは、表現内容をそのまま置き換えるトランスレーションとは異なる。だから、映画版と小説版のいずれもが、原作となる絵本と似て非なる展開を用意してみせるだろうことは、センダック自身も予期していたという。しかし、『かいじゅうたちのいるところ――メイキングブック』に収録されたジョーンズとエガーズの対談によれば、マックスがどのようにして「かいじゅうたちのいるところ」に辿り着くのか、その具体的なプロセスについては、最後までセンダックと意見が対立したという(マクスウィニーズ社 x)。

というのも、センダック版の物語展開において最大のカギを握るのがマックスの「想像力」であったのに対し、ジョーンズ版の映画も、エガーズ版の小説も、重要なのはいずれもマックスの「アクション」の方であったからだ。具体例を挙げてみるならば、絵本と同様に「おまえなんか食っちまうぞ!」("I'll eat you up!") と母親に言い返した後のマックスは、映画でも小説でも、二階の自室に連れて行かれることなく、夜の町に走り出て、そのまま森のなかに入り、そして本物の小舟に乗って「かいじゅうたちのいるところ」に向かって漕ぎ出していく。このとき、なぜ絵本のような想像力による家出――すなわち、子ども部屋そのものがマックスの空想によって森や海に変わっていくといった展開を、ジョーンズとエガーズは選ばなかったのか。

映画に関していえば、二人はそれが、映像的リアリティを担保するために必要であったと意見を一致させている。つまり、実際に家を出て母親を置き去りにし、体を汚し傷つけながら森へとさまよいこみ、そして小舟をみつけて海に漕ぎ出す……といったリアリティにあふれながらも荒唐無稽な「アクション」によって、ようやく映画の観客は「かいじゅうたちのいるところ」という想像上の世界に入っていけるというのである。

では、そうした映画脚本に基づいた小説版で、エガーズはどのように「アクション」を描いたかというと、それは映画のように視覚的な説明ではなく、あくまでも小説として比喩や内省的な語りを重視したものであった。

マックス少年の家出の瞬間を、エガーズの小説で確認してみよう。

空気！　月！

両方ともすぐ目の前にあった。引き潮にひっぱられているような感じだった。空気と月がいっしょになって、すばらしく獰猛な歌をうたっていた――いっしょにおいで、オオカミ少年！地球の血を飲もう、悠然と飲み干そう！　マックスは猛スピードで駆けた。自由だ。〔中略〕
「マックス！」（エガーズ　八二）

オオカミを模した子ども服を身にまとったマックスが、澄んだ夜空の月から直接「オオカミ少年」（wolf-boy）と呼びかけられるこのくだりでは、映画よりもダイナミックに、「ワイルド・シング」であるマックスが「野生」を取り戻していく姿が想像力豊かに描かれている。これは、マックスが大海原に乗り出した後にようやく「月」が登場するといった、映画版とも大きな違いであるといえよう。映画において、住宅街を走り抜けるマックスを照らすのはいずれも街灯である。つまり、映画のなかの、住宅街はあきらかに家庭の延長にあり、マックスはそこを駆け抜けてしまうことでようやく「野生化」に辿り着くというわけである。

では、こうした小説と映画のずれはなぜ起こったのか。絵本を原作とする二つのアダプテーションは、いったいセンダックの何を受け継ぎ、何を改変してしまったのだろうか。

◉オオカミ少年、ビースト、そしてカエル目の男

ヒントとなるのは、先の引用の最後に叫ばれた「マックス！」という声である。じつは、映画に

おいてこの言葉は、マックスの後を追ってきた母親のものであるのだが、小説においてこれは、母親が家に招待していたボーイフレンドのものであったのだ。続きを読んでみよう。

「マックス!」
バカなゲーリーが、思いっきりハアハア息をきらして、追いかけてきた。マックスはさらにスピードをあげた。ほとんど飛んでいた。手で空気をつかんで、建築中の家々や建築で出るぐちゃぐちゃをぜんぶ通りこした。走りながらふりかえると、ゲーリーはもう遅れていた。そのすぐあとで、このソバカス・ダサ男は足をひきずって止まった——からだをふたつに折って、脚をつかんだ。マックスは駆けつづけた。顔は涙でぐしょぐしょだったが、気分は盛りあがって笑えた。勝った。行き止まりまで来たところで、道路は終わり、森がはじまった。

(エガーズ　八二)

マックスの軽蔑するこの男は、映画にもやはり登場する。また、この男のせいで普段とものごしが変わってしまった母親に対し、マックスがいらだちを抑えきれないというのも、映画と小説に共通している。だが、ここで思い出しておきたいのは、そもそもセンダックの絵本には、母親のボーイフレンドはもちろんのこと、母親その人の姿も視覚的には描かれておらず、マックスにしても、とりたてて家の外に出たそうな雰囲気ではなかったということだ。

この点に留意して、あらためてジョーンズとエガーズが描き出した映画版のマックスをみると、彼は外遊びをする際にも家の周りをうろつき、母親のボーイフレンドにもそこまでの憎しみをもっているようには描かれていない。むしろ、映画のなかのマックスは、母親の愛を欲し、姉の関心を欲し、そして、母親のボーイフレンドを黙認しようとしている。これが、原作から大きく設定を変えてもなお、映画が原作から受け継いだマックスの「ワイルドではないところ」——すなわち、原作の「ドメスティック」な想像力（自室にこもって森や野原が広がるさまを夢想するなど）であったといえるだろう。

これに対して、エガーズの小説に描かれるマックスは、物語のはじめから自転車で外に飛び出し森に向かったりもし、また、そもそもなぜ彼が母親を捨てて家を出なくてはならないのかという理由を言語化するために、エガーズは、映画よりも複雑な心理劇と、小説特有の比喩表現を積極的に使用している。先の引用でマックスを追いかけてきたのが母親ではなく、彼女のボーイフレンドとされているのも、小説ではこの時点ですでに、母親がドメスティックな存在であることをやめ、息子を外へと追いやる一匹の「ビースト」——すなわち、マックスを放逐するほどのもう一人の「ワイルド・シング」となっていたという、隠された事情があるのだった。

マックスは吠えてもがいた。すると、いいことがひらめいて、やらずにはいられなくなった——からだをかがめてママの腕に力いっぱい噛みついた。

ママがさけんで手をはなしたから、マックスは床にころがってしまった。ママは腕をおさえたままうしろにさがった。動物のように〔like a beast〕うめき声をあげ、目は恐怖と怒りでらんらんとしていた。

ママを噛むなんてこれがはじめてだった。マックスはこわくなった。ママもこわくなった。ママはこんなマックスは見たことがなかったし、マックスもこんなママは見たことがなかった。

（エガーズ　八〇）


引用者による註にもあるように、マックスの母親は、息子に噛まれて「ビースト」と化す。それはもちろん比喩に過ぎないけれど、映像作品とは異なり、文字のみによって綴られた小説におけるこの「変化」を見逃すわけにはいかない。とりわけ、「ママはこんなマックスは見たことがなかったし、マックスもこんなママは見たことがなかった」という最後の一文は、その原文を直訳するならば、「彼らはあらためて互いをみた」（They saw each other anew）となっており、訳文が主語を二つに分けたように、ここではじめて、「マックス」（He）と「ママ」（His mom）は、互いが互いをみつめる対等な「ワイルド・シングズ」になるのである。

さらには、このことを補強するように、エガーズは続く行に、母親のボーイフレンド、ゲーリーを登場させる。


ふりかえったら、ゲーリーが玄関ホールにやってきたところだった。あきらかに、どうしたらいいのかわかっていない。

「コニー、大丈夫かい?」ゲーリーはきいた。

「この子、嚙んだのよ!」ママは怒って言った。

ゲーリーの目がふくらんだ。なにをすべきかも、なにを言うべきかもわかっていない。〔中略〕

「なにかしないと! なにかしないとまずいだろう!」ゲーリーはそう言って、すばやく大またでマックスのほうへ寄った。

「こいつにしゃべる権利はない!」マックスはカエル目の男〔the frog-eyed man〕を指さしてさけんだ。(エガーズ 八〇)

「ウルフ・ボーイ」(マックス)と「ビースト」(母親)という、二人の「ワイルド・シングズ」が衝突するはざまで、何をしてよいのか皆目見当がつかないでいるゲーリーは、「カエル」というなんとも中途半端な野生によって形容される。かくして、小説のなかのマックスは、母親の居残る家を一歩出た段階で、すぐに月に祝福され、あとは力なく追いかけてくる「カエル」を振り切ったら、そのままま っすぐに「かいじゅうたちのいるところ」を目指せばよいことになったのだ。

【図21】毛むくじゃらエディションの書影

◉毛むくじゃらのノベライゼーション

デイヴ・エガーズの小説は、ジョーンズの映画と補完関係にあるノベライゼーションであると同時に、センダックの絵本のある大胆なアダプテーションでもあった。そして、本章の最後に紹介したいのは、【図21】にある「毛むくじゃらエディション」(Fur-covered edition)と称する限定版の書籍だ。これは、エガーズの企画による同作の特装版である。絵本から小説へというアダプテーションを、「絵(+文章)」から「散文」へといったシンプルな変換としてのみ実践するのではなく、その「ワイルド」な状態を、絵本のなかのイメージから「毛皮付きの本」という書物それ自体にアダプトしてしまうというこの試みは、たんなるノベルティグッズとしての性質を超え、アダプテーション/ノベライゼーションの野性味あふれた実践として、『かいじゅうたちのいるところ』のユニバースをさらに押し広げてくれるのである。

◉引用文献

エガーズ、デイヴ『かいじゅうたちのいるところ』小田島恒志、小田島則子訳、河出書房新社、二〇〇九年。

センダック、モーリス『かいじゅうたちのいるところ』じんぐうてるお訳、冨山房、一九七五年。

マクスウィニーズ社編『かいじゅうたちのいるところ――メイキングブック』安原和見訳、河出書房新社、二〇一〇年。

Eggers, Dave. *A Heartbreaking Work of Staggering Genius: A Memoir Based on a True Story*. Simon & Schuster, 2000.

—. *The Wild Things* (Fur-covered Edition). McSweeney's, 2009.

第7章　メタ・ノベライゼーションのすすめ

◉ポストモダン文学の「映画小説」

人里離れた場所で、年齢差のある二人の男が、束の間であれ人生というストーリーを「映画」を介して分かちあう――。これは、ポール・オースターが長編小説『幻影の書』（*The Book of Illusions*, 2002）で採用した物語の枠組みだ。

口ひげを剃り落とし、白いスーツを着なくなってから六十年が経っていても、ヘクター・マンは完全に消えてはいなかった。老いている。無限に老いている。けれど彼の一部はまだそこにあった。

〔中略〕

君には心底仰天させられたよ。はじめは、君のやったことが許せなかった。でもいまは嬉しいんだと思う。

私は何もしていませんよ。

本を書いたじゃないか。何度も何度も読んだよ。そのたびに、何で私を選んだ？　何が目的だったんだ、ジンマー？——そう考えたよ。

あなたが笑わせてくれたからです。それに尽きます。あなたが私のなかの殻みたいなものを破ってくれて、それからあとも、私が生きつづける口実になってくれたんです。

君の本にはそんなことは書いていない。口ひげ時代の私の仕事を論じてくれてはいるが、君自身のことは書いていない。（オースター　二一九三―九五）

ここに描かれているのは、かつてサイレント映画のコメディアンであった老人ヘクターと、彼の映画を研究する、相対的に若いとされる男の対話である。そして、この対面の瞬間まで、「私」にとって老人は、古い映像のなかにのみ存在する二次元的な役者「ヘクター・マン」に過ぎず、一方、老いさらばえたヘクターにとっての「私」は、自身の主演映画を文章のなかで再現する著者「デイヴィッド・ジンマー」という活字の連なりに過ぎない。すなわち、ここに表現されているのは、映像と文章が交錯する奇跡的な一瞬なのである。

さて、本作の発表からおよそ八年後、ポストモダン文学の重鎮たるドン・デリーロが発表した中編小説『ポイント・オメガ』（*Point Omega*, 2010）もまた、「人里離れた場所で、年齢差のある二人の男が、束の間であれ人生というストーリーを『映画』を介して分かちあう」物語であった。だが、オースターが二人に許した面会時間がたったの五分であったのに比して、デリーロの小説『ポイント・オメガ』では、実りのない会話によって満たされた一ヶ月あまりの期間において、男たちの時間感覚そのものが溶解していくような物語が紡がれた。

【図 22】『ポイント・オメガ』の書影

もちろん、そうしたデリーロの物語にあってもピークと思しきシーンはいくつかあり、たとえば、「我々は群衆、群れだ」と、相対的に老いた方の男が相対的に若い方の男に力説する場面は、謎めいた同書のタイトルを説明するといった意味でも重要である。

「我々は群衆、群れだ。我々は複数で考え、集団で旅をする。集団は自己破壊の遺伝子を持っている。一発の爆弾じゃ全く足りない。技術の霞のなか、そこに指導者たちは戦争を仕掛ける。今や内向が起こるからだよ。テイヤール神父はこれを知っていた。オメガ・ポイントさ。我々は生物学の領域から飛び出すんだ。自分に問いかけてみたらいい。我々は永遠に人類じゃなきゃならないのかって。意識なんてもう干上がってしまった。今や無機物に還るんだ。我々はそうしたいのさ。野原の石ころになりたいんだ」

私は氷を取りに部屋に入った。戻ってくると、彼はデッキから小便をしていた。〔中略〕「いくらでもそういうことを話せますよ」私は言った。「話し、黙り、話し、考える」私は言った。「あなたは誰なのか、あなたは何を信じているのか。どの思想家も作家も芸術家もこんな映画は撮ったことありません。筋書きもなし、リハーサルもなし、手の込んだ準備もなし、前もっての結論もなし。この映画では何も隠さず、何も切らないんです」

私はこうした言葉をウイスキーの上のたわ言として話した。（デリーロ　六八―六九）

かつてペンタゴンに協力していたという相対的に老いた男は、人類が「自己破壊」し「無機物に還る」地点、すなわち「オメガ・ポイント」を迎える瞬間を、そのアメリカ荒野の向こうに幻視しようとする。一方で、相対的に若い男は、そうした彼のありのままの言葉を映画に残したいのだと、酔いにまかせて口にする。こうした会話を、先に挙げたオースターのそれと比べてみるならば、映像と文章の交錯といった点において、デリーロのケースの方が見かけ以上に複雑であることが明らかになるだろう。すなわち、ここで「オメガ・ポイント」についての考えを語る学者は「文章」の側の人間であり、その彼を特殊なドキュメンタリー映画に記録したいと望む「私」は、「映像」の側の人間なのであるが、オースターの場合と異なり、肝心の「映像」はまだこの世に生まれおちてはおらず、今まさに学者が語っているセリフ（「我々は群衆～」）と、その冗長さのなかで溶解する不毛な一ヶ月それ自体をカメラで記録したものこそが、「私」の目指す「映画」となるのである。さらにいえば、そうした永遠に完成しないだろうその「映画」の内容をノベライズしたものが、この『ポイント・オメガ』という小説なのではないか、という可能性すらも、私たちはここに見出すことができるかもしれない。

そしてまた、小説の途中、「どんな沈黙もあなたの沈黙です。私はただ撮り続けます」と相対的に若い男が相対的に老いた男に語りかけるとき、我々はそこに、現実のデリーロよりもさらに遅れてやってきたもう一人の「新たな」デリーロが、すでに若さと目新しさを遠い過去のものとした「旧い」デリーロにカメラを突きつけているような錯覚に陥る。このとき、もう一人の自分にカメラを構えさせ、そのカメラに向かってこれから撮影され編集されるだろう「映画」を語りながら、その語りの内容そのものを文字化し、あわよくばノベライズしてしまおうとする作品こそが、この小説『ポイント・オメガ』となるのである。

◉《二十四時間サイコ》の映像体験

「新しさ」という命題を、どの世代よりも理知的に背負わされてきたポストモダン作家が、世紀をまたいでみずからの「老い」に直面するとき、いったいどのような文学作品が生み出されるのか――。小説『ポイント・オメガ』を、たとえばドン・デリーロという相対的に老いた作家による、そうした具体的な問いかけの産物であるとみなすとき、登場人物たちが共有する一つの映像体験――美術館における映像作品《二十四時間サイコ》（*24 Hour Psycho*）の鑑賞――をめぐるエピソードとその小説化は、まさに、未だ完成しえない映画のノベライゼーションたる『ポイント・オメガ』の内部で実践された、もう一つの実験的なノベライゼーションとして考えてみることができるだろう。

まず、小説のなかの「私」は、あの学者の「娘」との会話において、小説外に実在する《二十四時間サイコ》なるアート作品のことを話題にする。

「以前、君のお父さんを映画に連れていったことがある。《二十四時間サイコ》ってタイトルだ。映画じゃなくてコンセプチュアル・アートの作品だけど。古いヒッチコックの映画がものすごくゆっくりと映写されてて、終わるまで二十四時間かかる」
「お父さんから聞いた」

「何て言ってた?」

「七十億年かけて世界が死んでいくのを眺めてるみたいだったって」

「我々が見たのは十分くらいだよ」

「宇宙の収縮みたいだったって」

「彼は宇宙的な規模でものを考えるんだ。君も知ってるように」

「宇宙の熱力学的死のことね」彼女は言った。

「彼は興味を引かれていたと思う。我々はそこにいて、十分後に出た。彼が逃げ出し、私は追いかけた。六階分を降りるあいだ彼は何も言わなかった。そのころ彼は杖をついていた。長い距離をゆっくりと降りていったんだ。エスカレーター、人混み、廊下、最後の階段。一言も発しなかった」

「その日の晩会ったときお父さんが教えてくれたの。私も見たいかもって思った。全然何も起こらないところがいいなって」彼女は言った。「待つために待つってところが。私も次の日に行ってみたの」

「しばらくいた?」

「しばらくいた。何か起こってるときでさえ、その何かを待ってなきゃならなかったから」


(デリーロ　六一—六二)

「私」の説明にもあるとおり、実在する芸術家ダグラス・ゴードンが、二〇〇六年にニューヨーク近代美術館で上映したという同作は、アルフレッド・ヒッチコック監督の映画『サイコ』（*Psycho*, 1960）を、そのまま二四時間に引き延ばしスローモーション上映した「反映画」とでも呼ぶべきアート作品である。この作品の存在を小説に取り込んだデリーロは、登場人物の口を借りて、「七十億年かけて世界が死んでいくのを眺めてるみたいだ」とその試みを形容するのだが、これは《二十四時間サイコ》の相対的な「遅さ」を意味すると同時に、相対的な「速さ」をも意味しているといえる。なにしろ、何十時間、何百ページといった情報量も、「七十億年」の死を前にすれば一瞬に等しいからだ。

あるいはまた、同小説の「匿名の人物　I」と題されたパートには、この上映を「五日連続で見に来ていた」という男が登場し、「三時間以上も立ったまま」その作品を鑑賞していたということが報告される。あいかわらずの超スローモーションのスクリーンの前で、浮かんでは消える数々の着想。時間を（制約されるのではなく）過剰に与えられてしまったこの作品は、フィルムの一コマ一コマの物質性をさらけだしながら、なおのこと鑑賞者である彼に「見る」という行為を強いてくるのだ――「この映画を見ていると彼は、まさに自分は映画を見ている誰かなのだと感じた」（デリーロ　一二一一八）。

◉デリーロの「メタ・ノベライゼーション」

かくして、「何か起こってるときでさえ、その何かを待ってなきゃならなかった」という鑑賞者たちの受動性は、この「多少なりとも動く映像」をみずからの「小説」に取り込もうとするデリーロその人にも共有される。果たして、超スローモーションのサスペンス映画という《二十四時間サイコ》を、デリーロはいかにして、その小説内でノベライズしてみせたのか。本書では、これを「メタ・ノベライゼーション」と呼びたいと思うのだが、まずは、その具体例をいくつかみてみよう。

しかし、いまやカメラは止まっていた。アンソニー・パーキンスが振り返っている。それはまさしく整数といえた。アンソニー・パーキンスの徐々に振り返る動きを、見ている人は数えることができた。アンソニー・パーキンスの動きは一続きのものというより、五つの動作の連なりだった。矢や鳥の飛行とは違って、まるで壁のレンガのように、見ている人はそれをはっきりと数えることができた。いや、何かに似ているとか似ていないとは言えなかった。アンソニー・パーキンスの細い首の上で頭がゆっくり旋回していた。(デリーロ 一一)

ここではっきりと描写されているのは、時間の停滞によって逆説的に意識化される俳優の「動き」

だ。止まっているようにみえるからこそ、ほんの数ミリの「旋回」ですら、その動きの断片を、まるで「壁のレンガのように」鑑賞者たちは数え上げることができるということ。もちろん、そうした「動き」そのものを「何かに似ているとか似ていないとは言えな」いと、この語り手は書いている。だが、そうだからといってデリーロその人は、「壁のレンガのよう」という比喩それ自体を、このノベライゼーションから削除することはしなかった。つまり、このテクストにおいては、「アンソニー・パーキンスの細い首」やそこに乗る「頭」だけではなく、「壁のレンガ」や「矢や鳥」といったものもまたテクスト上に対等に存在するものとして表象されているのであって、こうした無関係なイメージの小説内への侵犯は、この語り手も、デリーロも、そしてこれを読む私たち読者ですら、いまだこの「多少なりとも動く映像」に没入できていないことを示唆している。

あるいは、本作の最後を飾る「匿名の人物　Ⅱ」のパートをみてみよう。ここでもやはり、匿名の男が登場し《二十四時間サイコ》を鑑賞している。しかし、ここでの彼は、ずいぶんと映像に没入することができている。「だがいくつかの瞬間において、彼はもっともたやすくスクリーンに入り込めた」と語り手は言う。「登場人物がいなかったり、鳥の剝製や人間の片目が映ったスクリーンにだ」と（デリーロ　一三二）。そして、このパートの最後、男の目にするスクリーンには、やはり俳優「アンソニー・パーキンス」がいるのだが、今、男にとってその存在は、あくまでも『サイコ』という物語のなかの「ノーマン・ベイツ」として認識されている。

ノーマン・ベイツは恐ろしいほど無表情なまま受話器を置く。彼はモーテルの事務所の明かりを消すだろう。段の付いた道を歩いて古い家に行くだろう。数部屋には明かりがついていて、背景は暗い空だ。それから、アングルが変わりながらショットが続く。彼はシークエンスを思い出す。壁の前に立って待ちかまえている。実際の時間など無意味だ。フレーズなど無意味だ。そんなものはない。スクリーンではノーマン・ベイツが受話器を置いている。

（デリーロ　一四七）

ようやく「動き」を取り戻したかのような描写だが、お気づきのとおり、「受話器を置く」（is putting down the phone）より後の二文は、いずれも「〜だろう」（will turn off / will move / will）となっていて、まだ男の眼前のスクリーン上には映し出されてはいない。つまり、この数行は「受話器を置く」という「動き」がレンガのごとくフリーズしかけているプロセスを描き出したものであって、そのレンガとレンガのあいだで、男の意識は束の間足を踏み外し、先行する映画作品によってその思考回路を支配されかけているのである。

◉ロバート・クーヴァーの実践

映画とは、本質的に不連続なものの「動き」に過ぎない。そうした気づきを小説化したのは、デリーロが最初ではない。「時間とは、終わりのない流れというより、むしろ、連続していない断片のあいだの小さな隙間をすばやく、連続して飛んでいく電子の飛躍だ」（クーヴァー 二三一）と考えるのは、デリーロと同世代のロバート・クーヴァーによる短編小説「きみの瞳に乾杯」（"You Must Remember This"）に登場するリック。この人物は、映画『カサブランカ』（*Casablanca*, 1942）でハンフリー・ボガードが扮した主人公のリック・ブレインをそのまま小説に流用したものである。

一九八七年に刊行された連続短編集『ようこそ、映画館へ』（*A Night at the Movies, Or, You Must Remember This*）の最後を飾るこの作品は、映画『カサブランカ』のワンシーンをノベライズしつつ、途中から、映画には描かれることのなかった空白部分（具体的には「銃を下ろしたイルザとリックの接吻」、「夜を照らす灯台」、「煙草を片手にそれを眺めるリック」という三つのショットのはざまで省略されてしまった出来事）を、作家が妄想の限りを尽くして一息に埋めていく……といった小品だ。

「このシナリオ、完璧じゃないかもしれないけど、ねえ、リチャード。でも、あたしがあなたを撃ち殺すよりマシでしょ？」

「いや、そうじゃなくて……」いや、このままにしておこう。彼女の言う通り、銃弾を撃ちこまれるよりマシってことだ。〔中略〕彼は濡れたタオルで煙草を消すと、ぽいっとわきに投げ捨て、両手で彼女の太股に手をまわし、彼女のお尻を（彼の頭は、まだ連続して動くフィルムの齣としての時間のことを考えている。その齣、その古びた役に立たない内容というより、むしろ齣と齣とのあいだの隙間だ。なるほど二次元的に見ると極小だが、三次元的に見ると、宇宙のごとく深みがあり神秘的でもあるその世界を）自分の顔のほうに引き寄せ、まるで子どもが蒸気で曇った窓ガラスから外を見るように、顔をお尻に押しつける。（クーヴァー 一二三一）

訳者の越川芳明も指摘するとおり、これはふつうの意味でのノベライゼーションではない（越川 二五六）。だが、こうしたメタフィクショナルな展開に入るその直前まで、クーヴァーはこの名作映画の律儀な「小説化」を試みているのであり、むしろその前半部分の「ノベライゼーション」が巧みであるがゆえに、先の引用の（ ）内に書かれたリックの思考がリアリティをもつことになる。続けて、二人の抱擁とキスの直前シーンを確認してみよう。

リックは消えかかったように見える。煙草はどこかに消えた。煙もだ。彼の悲しみは、熱意と似ていなくもないものに取って代わられる。「さあ、撃てよ。オレの願いを聞いてくれるんじゃないのか？」
イルザは愕然とした様子だ。目は涙で湿り、唇は腫れて、開いている。灯りが彼女の顔をかすめる。リックは精神的に高みに立って、じっと彼女を凝視する。ふたたび煙がリックの手からゆらゆらあがる。白いタキシードに、拳銃の銃身が押しつけられていた。イルザは目を閉じ、銃を下におろした。（クーヴァー　二一一）

クーヴァーによる映像作品の小説化は、デリーロのそれと同様に、映画の「動き」の停止や断絶に、語り手の注意を逸らされている。その視線は、リックとイルザの意識の流れを追いかけつつも、決して一発撮りではない画面のなかで姿を消したりあらわしたりする「煙」の行方に気をとられ、その不連続性を描写せずにはいられない。

かくして、「齣と齣とのあいだの隙間」に魅了されるリックの自意識は、映画をひたすらに文字化しようとする「ノベライザー」としてのクーヴァーの自意識と重なりあう。メタフィクションならぬ、メタ・ノベライゼーションとでも呼ぶべきクーヴァーの創作技法。そのエッセンスは、どうやらデリーロの『ポイント・オメガ』にも受け継がれているようだ。

◉解放される「鳥たち」

小説『ポイント・オメガ』における《二十四時間サイコ》のメタ・ノベライゼーションという企ては、映像のコマとコマのあいだにあふれ出す鑑賞者の自意識に押し流されるようにして、いったんは無効化させられる。だが、デリーロの語りは、それこそ無限に引き延ばされた映像の「オメガ・ポイント」を超えた先にあらわれる、鑑賞者自身の「映画化」という可能性に希望を見出そうとしているようだ。小説のラストシーンを引用しよう。

その男は壁から身を引き離し、自分が毛穴一つずつ同化していくのを待っている。自分が溶けてノーマン・ベイツの姿になるのを待っているのだ。ノーマン・ベイツは家のなかに入ってきて、意識下の速度、一秒あたり二コマで階段を上がっていき、母親の部屋のドアのほうを向くだろう。

ときに彼は彼女のベッドのそばに座り、彼女に何か言い、答えを待つだろう。

ときに彼はただ彼女を見ているだろう。

ときに雨の前に風が吹き、窓を横切って飛ぶ鳥たちを連れてくる。魂の鳥たちは夜を渡っていく。夢よりも不思議な夜を。（デリーロ　一四八–四九）

注目したいのは、鑑賞者が映画のなかの主人公に同化する、という文字どおりの結末ではない。そうではなく、最後の二行で、生き生きと羽を広げる鳥たちの方に、私たちは注目しなければならない。周知のとおり、ヒッチコックの映画『サイコ』に登場する「鳥」は静止している。ベイツのモーテルの事務所にはたくさんの鳥の剥製が飾られ、シャワールームの横には、やはり鳥を描いた絵が額縁のなかに飾られているが、デリーロの幻視する「魂の鳥たち」(spirit birds)とは、「壁のレンガ」と対比されるかたちで言及された「矢や鳥の飛行」(the flight of an arrow or a bird)という「動き」の比喩の具現化でもある。もちろん、この先行する比喩もまた、「～とは違って」(not like)とその効果をあらかじめ否定されており、それはまさしくヒッチコックの剥製の鳥たち同様、すでに小説内での修辞的な「動き」を抑制されてきた存在だったといえる。

ここで、映画『サイコ』に登場する「鳥」については、ヒッチコック自身がフランソワ・トリュフォーのインタビューに答えるかたちで、次のように語っていたことを思い出そう。

T〔トリュフォー〕　しかし、彼女はわたしたちを異常性《アブノーマル》のほうへ、アンソニー・パーキンスと剥製の鳥に囲まれた部屋のあるモーテルのほうへ、みちびくのです。

H〔ヒッチコック〕　剥製の鳥にわたしは非常に興味を惹かれた。あれは一種のシンボルとして使ってみた。アンソニー・パーキンスが剥製に興味を持っていることは明らかだ。自分の母親を剥製にしたくらいだからね。しかし、さらにもうひとつのかくれた意味がある。たとえば、ふくろうの剥製だ。ふくろうというのは夜行性の鳥だ。夜の闇の住人だ。夜の監視人だ。そこがアンソニー・パーキンスのマゾヒズムをくすぐる。彼は夜の世界の鳥たちをよく知っており、鳥たちがいつも、まばたきもせずに、彼を監視していることを知っている。彼を監視している鳥たちの目に彼自身の罪がすべて映っていることを知っている。

（トリュフォー他　二八八）

さながら「監視している鳥たちの目」（their knowing eyes）が映画内に仕掛けられたもう一つの固定式カメラであり、パーキンスはその映画内カメラが映し出すもう一人の自分を思い描きながら殺人を犯しているのかもしれないというヒッチコックの解釈は、「映画が彼について深く考えているのかもしれない」と考える、あの匿名の男の感覚をも代弁する。なぜなら、「溶けてノーマン・ベイツの姿になる」ことを夢想する小説内の彼は、《二十四時間サイコ》のスクリーンにもう一人の自分を見出し、そしてそこに、映画そのものによって考え出されたベイツ＝彼自身の罪を必死になって確認しようとしているからだ。

《二十四時間サイコ》の内側に閉じ込められていた映画『サイコ』の、さらにその内側で「動き」を封じられていた鳥たちが、小説の語り手によって夜空に放たれるとき、デリーロのメタ・ノベライゼーションは役目を終える。このとき、デリーロ自身はみずからの手で剥製化していた「時間」の比喩――「矢や鳥の飛行」のなかの「鳥」をもまた、「夢よりも不思議な夜」に羽ばたかせたと考えることもできるだろう。この瞬間、永遠に完成しない映画のノベライゼーションでもあった小説『ポイント・オメガ』は、そこに囚われた登場人物たちを解放し、映画では表現できなかった時間の流れ、あるいは「動き」そのものになるのである。

◉引用文献
オースター、ポール『幻影の書』柴田元幸訳、新潮文庫、二〇一一年。

クーヴァー、ロバート『ようこそ、映画館へ』越川芳明訳、作品社、二〇一六年。

越川芳明「訳者あとがき」『ようこそ、映画館へ』、二〇一六年。

デリーロ、ドン『ポイント・オメガ』都甲幸治訳、水声社、二〇一九年。

トリュフォー、フランソワ、アルフレッド・ヒッチコック『定本　映画術［改訂版］』山田宏一、蓮實重彦訳、晶文社、二〇一八年。

終　章　グレート・ノベライゼーションの夢

◉２００１年ノベライゼーションの旅

今、ノベライゼーションをめぐる探究に一区切りをつけるにあたり、あらためてはっきりさせておきたいことがある。それは、ノベライゼーションとノベルを厳密に峻別することは、原理上不可能であるということだ。

たとえば、アーサー・C・クラークが一九六八年に発表した『２００１年宇宙の旅』（*2001: A Space Odyssey*）。あの名作は、ノベライゼーションなのかノベルなのか。当然のことながら、『２００１年宇宙の旅』を手にした読者は、たとえどれだけの「未来」に立っていようと、同年に先行公開されたスタンリー・キューブリック監督の映画『２００１年宇宙の旅』（*2001: A Space Odyssey*）のことを思い出さずにはいられないだろう。なにしろ、たいていの版の表紙には、映画本編についての記述、あるいはイメージ写真が添えられているわけだから、同作は常に映画と関係をもった小説の一種として売られてきたし、そのように消費されてきたのである。そして、『「2001年宇宙の旅」講義』を著した巽孝之もまた、日本における「六八年当時の反響」を知る手がかりとして、同年に刊行された伊藤典夫訳の翻訳版『2001年宇宙の旅』をひもとき、その「訳者あとがき」に書かれた「あなたも、あの映画『2001年宇宙の旅』のストーリーのつじつまをあわせたくて、本書をあけた口だろうか」という言葉を、重要な時代の証言として紹介している（巽　二八）。

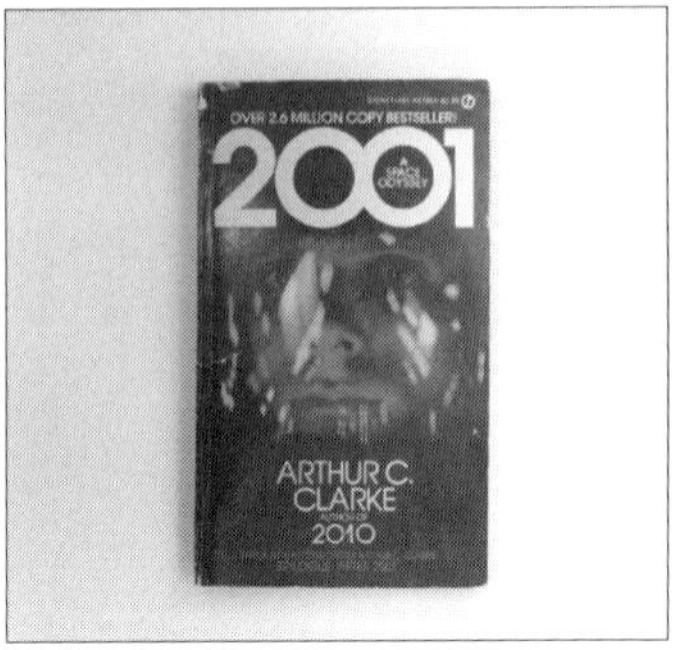
【図23】1982年に再版された『2001年宇宙の旅』の書影

さて、ここであらためて、本書の議論の核心部をおさらいするならば、この「映画と関係をもった小説」には、「原作小説」と「ノベライゼーション」と「オリジナル・ストーリー」の三種類があった。後者の二つは、大きく「タイイン」とも呼ばれる。

一、原作小説。映画とは無関係に刊行されたにもかかわらず、後から映画化されることによって映画小説のようになってしまった小説。これは、一般に「原作小説」と呼ばれるものであり、あらゆるノベルはこれになりうる可能性をもっている。

二、ノベライゼーション。「タイイン」と呼ばれる映画と連動する企画物の一種。一般的には、映画本編に従属するかたちで執筆された小説。実際は、脚本の小説化である場合が多い。日本の出版界におけるカタカナ用語としては、「ノベライズ」という動詞の名詞化が一般的。

三、「タイイン」の一種としてのオリジナル・ストーリー。映画本編に登場したキャラクターたちの前日譚や後日譚など、読者の欲求を満たすために書かれた作品。印税などの契約上、ノベライゼーションとは区別して考えられる。映画の世界観を借用するが、書き手のオリジナリティも尊重される。

このように分類してみると、どのようなかたちであれ、ひとたび映画と関係をもってしまった小説は、以後、映画本編とのパワーバランスによって認識されてしまうといったことが分かってくる。小説『2001年宇宙の旅』であれば、その時々の出版事情や読者のニーズによって、原作小説とされたりノベライゼーションとされたりしてきたし、クラークによる続編『2010年宇宙の旅』(*2010: Odyssey Two*)の発表とその映画化(*2010: The Year We Make Contact*)や、『2061年宇宙の旅』(*2061: Odyssey Three*)や『3001年終局への旅』(*3001: The Final Odyssey*)といった小説のさらなる発展に連動するようにして、それぞれの小説はタイイン扱いをされたり、ふたたび原作扱いをされたりと、忙しくそのカテゴリーを更新していったのだった。

◉主人と従者

ノベライゼーションとノベルの違いに加えて、同じタイイン作品とみなされるノベライゼーションとオリジナル・ストーリーの違いもまた、その峻別は原理的に難しい。だが、この三区分が現実的に意味をもっていると思われるのは、物語の受容者である私たちが、いまだに映画と小説のパワーバランスを気にしているからに他ならない。あらためてそれぞれの書籍作品と映画作品の関係を、主人と従者（とそれ以外）の比喩を用いて整理してみよう。

一、原作小説と映画化作品の関係は、基本的には「主人と従者」の関係になるが、映画の方が有名になった場合は、「主人と主人代理」のような関係にもなる。もちろん、映画化が明らかに失敗してしまった場合は、二つのあいだの関係は無視されたりもする。

二、ノベライゼーションとオリジナル映画の関係は、反対に、「従者と主人」の関係になる。

三、タイインの一種であるオリジナル・ストーリーと映画作品の関係は、その映画がアダプテーションであろうとオリジナルであろうとあまり関係なく、「弟分と主人」といった関係に近くなる。これは、スピンオフ作品や外伝など、作家のオリジナル性が強いと判断されるためだ。

かくして、クラークの小説『２００１年宇宙の旅』が「ノベライゼーション」であると言い切られてしまうと、同作はキューブリック映画の従者のようになってしまい、その制作過程を知るものからすれば、強い反発を感じてしまう。ましてや、これを「オリジナル・ストーリー」と呼ぼうものなら、その言葉がなまじ書籍作品のオリジナリティを認めているからこそ、かえって侮辱的に響くだろう。そもそも、タイインというものに属する小説は、「ノベル」というよりも「ノベルティ」（販促グッズ）との認識が一般的であるため（認識のみならず、実際の契約形態も、販売経路も、文学作品とは異なっていることが多い）、仮に「偉大なるタイイン」という表現を用いたとしても、どうしても「お山の大将」という印象が否めないのだ。また、『２００１年宇宙の旅』の場合、クラークが一九四八年に発表した短編「前哨」（"The Sentinel"）がアイデアの核に据えられることは、初期の打ちあわせ段階で確認されていたわけだから、クラークこそは「原作者」であると（すなわち、「主人」であると）断定してしまいたくなる気持ちが読者のなかに芽生えたとしても、それはまったく不思議ではない。

一方で、クラークの小説『２００１年宇宙の旅』が、キューブリック映画の「原作小説」となりえないのもまた、厳然たる事実だ。クラークはキューブリック側の要請を受けるかたちでこれを執筆したのであるし、実際、そこには「スタンリーに」という献辞すらある。つまり、小説『2001年宇宙の旅』は、その成り立ちとしては明らかに「ノベライゼーション」と呼びうるものであるのだけれど（初版のカバーには「スタンリー・キューブリックとアーサー・C・クラークの脚本に基づく」と明記されている）、にもかかわらず、同書をそう呼んで終わりにすることができないといった感性もまた、地域や時代を超えて広く共有されてきたのも事実であるのだ。『2001年宇宙の旅』と題された映画と小説、その双方が完成するまでのプロセスを徹底的に調べた作家のマイケル・ベンソンは、同作の破格の成功がクラークその人にいかなる影響を与えたのか、二〇〇一年を超えた地点から次のように報告している。

二〇一八年現在、クラークの小説『2001年宇宙の旅』は五十刷を重ね、四百万部以上の売り上げを記録している。キューブリックと仕事をする以前のクラークは、ロバート・ハインライン、アイザック・アシモフと並んでSF界の「三大巨匠」のひとりとみなされていた。しかし『2001年』は彼をまったく別のカテゴリーへと飛躍させたのである。彼は掛け値なしに世界的に名を知られた存在となり、富も築いた。映画とは直接の経済的利害関係はなかったかもしれないが、間接的にはかなりの恩恵をこうむっていたから、キューブリックへの傍目にも明らかな忠誠心も数えきれないほどのプロットの修正も十二分に報われたといっていいだろ

う。(ベンソン　五六三)

同書でベンソンは、クラークの私的な書簡をもリサーチしながら、この作家の複雑な胸の内を、およそ半世紀のスパンで辿っている。なかでも印象深いのは、映画公開の前年にあたる一九六七年の手紙のやりとりだ。小説の脱稿から二年ものあいだ刊行を許可されず、いざ出版されても「原作小説」ではないために映画化権の支払いもないというクラークの現状に腹を立てた友人のSF作家は、「あなたはすべての元になった本を書き、キューブリックはその収入の五十パーセントと名声、プラスすべてをだいなしにする権利を得て、実際にそうした。しかしあなたの映画化権の収入はゼロ」と慨嘆。対するクラークは、もう少し超越的な立場から、この怒れる友人をなだめにかかるのだった――「本と映画の関係は、ここではとうてい説明しきれないほど複雑なものだ――が、最終的にはかなりの贅沢を享受できることになると思う。とはいえ、一九六六年にあの十万ドルが手に入っていればありがたかったが」(ベンソン　五三二―三三)。

すべてが経済的理由によって説明できるはずもないけれど、それ抜きでは成り立たない、作家という商売。『決定版　2001年宇宙の旅』に寄せた序文で、クラークはみずからがとった執筆当時のスタンスを、以下のように綴っている。

『2001年』は「前哨」を原作にしているとよくいわれるが、これは単純化もいいところで、両者はどんぐりと樫の木ほどもちがう。映画の材料がそれっぱかりですむものではなく、ほかにも「地球への遠征」（わたしの最初の短篇集『前哨』にはいっている）をはじめ四つの短篇がベースになっている。だが大半はオリジナルで、何ヵ月にもわたるスタンリーとのブレインストーミングの結晶である。〔中略〕

しかし映画をつくろうというのに、なぜ長篇を書くのか？ 読者はそうおたずねになるだろう。なるほど、ノベライゼーション（うぐっ）はたいてい映画のあとにできるものだが、スタンリーにはこの方式を逆にするもっともな理由があった。〔中略〕

おそらくスタンリーは、わたしが退屈に弱いと見たのだろう。脚本という骨折り仕事にかかるまえに、長篇小説をまるごと書いて、想像力の翼を思いきりはばたかせようと提案した。脚本はそこからひねりだせばいい（ついでに、できることなら多少の現金も）。

（クラーク 一〇―一一）

クラークはここで、みずからの作品がノベライゼーションというジャンルに位置づけられる可能性を思い、「うぐっ」（"ugh!"）といった不快感をあらわしている。これは、私たちが序章で確認した、ウディ・アレンの拒絶反応――「空港とかショッピング・モールの棚に置いてあるガラクタ」――

と同質のものだろう。アレンの小説の登場人物が簡潔に言い放ったそのイメージは、きっと、この序文を書いているクラークの脳裏にも浮かんだはずだ。もちろん、茶目っ気たっぷりに書かれる作家の回想録は、客観的事実を検証するには不向きかもしれない。ただ、そうした「茶目っ気」ゆえに、私たちは、クラーク自身もまた、同作の位置づけ（それはノベルなのかノベライゼーションなのか？）に、長いこと手を焼いてきたことが分かる。つまるところ、ノベライゼーションという用語は、用語そのものが取扱注意なのだともいうことができるのだ。

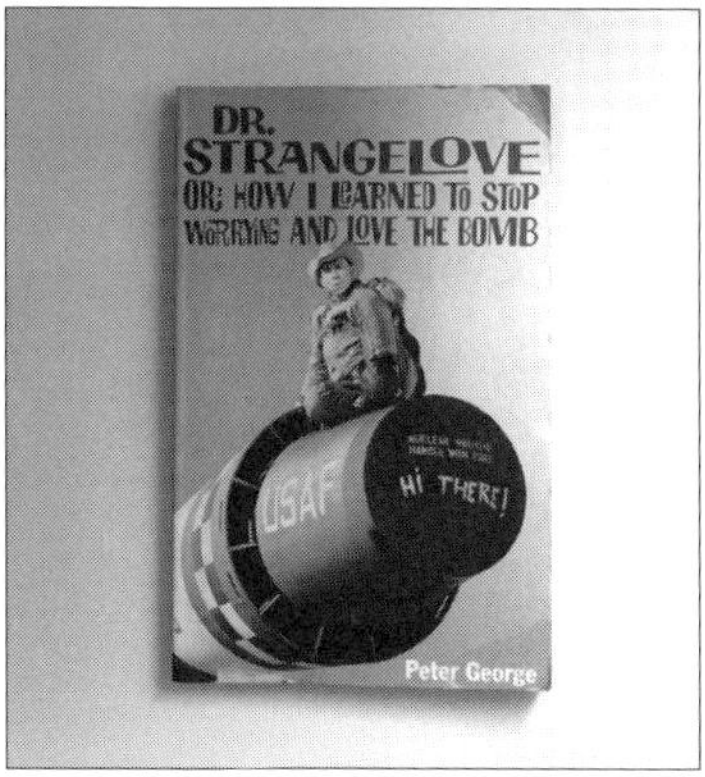

【図24】『博士の異常な愛情』の書影

◉ノベライゼーションは「国民文学」に抗する

本書全体を振り返り、あらためて強調すべきは、ノベライゼーションという文芸ジャンルが、必ずしも国家という単位では創出されてこなかったという事実だろう。イギリス出身の作家であるアーサー・C・クラークが、アメリカ人監督のスタンリー・キューブリックと「共作」を行なう。あるいは、同じくキューブリック作品の『博士の異常な愛情　または私は如何にして心配するのを止めて水爆を愛するようになったか』（*Dr. Strangelove or: How I Learned to Stop Worrying and*

Love the Bomb, 1964）においても、原作者であるピーター・ジョージはやはりイギリス出身であったが、彼はその脚本作りにも参加しつつ、さらに同作のノベライゼーションを出版している。

これに対して、近現代小説と訳されもする「ノベル」は、基本的には「国家」という枠組みを揺るがすどころか、むしろそれを強化していくような働きを期待されてきた。事実、いわゆる「国民文学」の創生は、近代以降、いずれの国でもノベルを中心に行なわれてきたのだ。アメリカ合衆国を例にとるならば、「グレート・アメリカン・ノベル」（Great American Novel、略してＧＡＮ）という概念がそれにあたる。

二〇一四年に刊行された『グレート・アメリカン・ノベルの夢』という研究書をみてみよう。南北戦争後に急務となった国家の文化的統一の過程で、ノベルという文芸ジャンルがいかにして現代のような独自のポジションを獲得するに至ったか。そのことを説明するにあたり、著者のローレンス・ビュエルは、南北戦争以前の北米大陸におけるフィクションとは、そのほとんどが「テール」（tales）であり、「ノベル」とされる作品は、全体の五パーセントに満たなかった、という事実に注目してみせる。そのうえで、一八六八年一月に小説家のジョン・ウィリアム・デ・フォレストがエッセイのかたちで発表した「グレート・アメリカン・ノベル」という概念が呼び水となり、物書きたちのあいだにも、そうした国民文学としての近代小説を完成させることこそが、作家の使命であるといった考えが広まったという（Buell 23-28）。

かくして、若く希望に燃える一九世紀アメリカには、新しい国民文学としてのノベルを称揚する気運が高まったわけだが、実際に後世の人々に認められてきた「グレート」なアメリカ小説の多くは、皮肉にも、合衆国の「負のイメージ」を前景化するようなものが中心になってきたという。ビュエルは続ける――「アメリカの国力や世界的名声が将来的には相対的衰退の道を辿るという展望や、国民文化の内部に走る亀裂が露わになるたび、今こそ先人を打ち負かすチャンスであるとばかりに、嬉々としてその負の事態を作品化しようと作家たちがやっきになるのも、こうした観点からすれば故なきことではないのだろう」と(Buell 462)。

自分たちの国は非常にまずい状態にある、と憂い顔でペンを握る(あるいはタイプライターに向きあう)個人こそが、アメリカという国家を代表する作家になるというこの逆説。たしかに、こうしたノベルの立ち位置は、大衆に迎合する娯楽映画のノベライゼーションなどとは、真っ向から対立するかにみえる。だが、この対立は本当に正しいのだろうか。

思うに、ノベルとノベライゼーションを隔てているものの正体は、「大衆に迎合するか否か」ではない。なぜなら、「自分たちの国は非常にまずい状態にある」と嘆いてみせることは、必ずしもノベルの専売特許でないからだ。スーザン・ソンタグも見抜いていたように、そうした現代社会に対する批判的なスタンスは、むしろ怪獣映画やSF映画の方が明確に表現してきたし、これを巧みに小説化したならば、そのノベライゼーションはたちまちに「グレート・アメリカン・ノベル」と同化してしまうだろう。

だが、現実はそうはならなかった。なぜか。これはあくまでも仮説の域を出ないけれど、「国家」という概念の強化に関心をもたず、かつまた、「国民意識」の確立にも加担しないというのが、ノベライゼーションなる文芸ジャンルの最大の特徴だったからかもしれない。

第1章にみたように、文明に敗れ去る野生の姿を巨大な一匹のサルにたくした映画『キング・コング』は、自分たちの欲望のためにはいくらでも自然を搾取して恥じることのないアメリカ的商業主義のあり方を揶揄してみせたが、そうした「負の事態を作品化」した物語のノベライゼーション『キング・コング』は、これに「エドガー・ウォーレス」というイギリス作家の名前を冠して商品化した。もちろん、本書でも解説したように、このノベライゼーションにおける、ウォーレスという作家の実質的な貢献度は極めて低かったわけだが、彼らの契約は、この作家の国際的な知名度こそを必要としたのである。

クラークの『2001年宇宙の旅』にしても、それが米ソの宇宙開発競争という、どこまでも「国家」の枠組みにこだわり続ける現実世界を背景にしつつ、作品自体としてはそうした枠組みを超越する方向に作家の想像力が飛翔し、いまだかつてないほどの成功を収めるに至った。これもまた、国際的な映画産業に培われたノベライゼーションだからこそなしえた結果だといえよう。

◉グレート・アメリカン・ノベライゼーション

もちろん、第6、7章でも論じたように、国を代表する作家たちが、みずから進んでノベライゼーションを行なうケースもある。ことに、二〇世紀後半における「グレート・アメリカン・ノベル」の書き手として名を馳せたポストモダン作家たちは、映画の小説化という行為そのものに強く魅せられてきた。ドン・デリーロ、ロバート・クーヴァー、そして、本書では言及しなかったが、トマス・ピンチョンやドナルド・バーセルミらもまた、他メディアの小説化をめぐってさまざまな実験を試みてきた。だが、彼らの世代におけるもっとも極端な例は、一九九二年の長編小説『すべての美しい馬』（*All the Pretty Horses*）で全米図書賞および全米批評家賞に輝き、一躍、国民作家の道を歩き始めたコーマック・マッカーシーのケースだろう。

今でこそ、「グレート・アメリカン・ノベル」の書き手として誰もが認めるマッカーシーだが、その評価が急速に高まったのは、作家生活も三〇年になろうという時期のことであった。前掲した『すべての美しい馬』を皮切りに発表された「国境三部作」は、世界的なベストセラーとなり映画化もされ、さらに、二〇〇五年に発表された長篇小説『血と暴力の国』（*No Country for Old Men*）は、二〇〇七年にコーエン兄弟の監督する映画『ノーカントリー』（*No Country for Old Men*）となって、アカデミー賞の作品賞など四部門の栄冠に輝いた。こうした成功は、幸運にも――というのは、映画化作品が有名になり過ぎた場合、その「原作小説」の文学的価値が相対的に低く見積もられてしまうといったこともあるからだが――、マッカーシーという作家が単なるベストセラー作家以上の何かであることを世に知らしめる結果となった。そして、二〇一三年に発表されたマッカーシーの書き下ろし脚本『悪の法則』（*The Counselor*）もまた、この作家の重要な文学的実践として認知されている。

ところで、マッカーシーの文壇的ブレイク前夜にあたる一九八七年、彼の手元には三本のオリジナル映画脚本があった。そのうちの一つは、後に長編小説『血と暴力の国』に生まれ変わっていくものもあり、現在では貴重な文学資料としてテキサス州立大学の図書館にウィットリフ・コレクションとして保管されている。この原資料にあたったステーシー・ピーブルズは、これら小説化以前の脚本と、後の長編小説の関係について次のように述べている。

スタイルとしても、主題としても、マッカーシーの作家としてのキャリアにおいて、これらの脚本は重要なステップとなっている。三作品からは、悲劇や近代性やエコロジーといったものにマッカーシーが徐々に惹かれていく様がみてとれるし、それは国境三部作や長編小説『血と暴力の国』、そして『悪の法則』といったものとも響きあい、さらには、彼の脚本が実践する「言葉の抑制」は、『血と暴力の国』や『ザ・ロード』（*The Road*）のような、その後のさらにミニマリスティックになる小説においてはっきりとあらわれることとなる。〔中略〕

これらの脚本は、後期マッカーシーのスタイルや主題をめぐる美学的選択に影響を与えてはいるのだが、端的にいって、それらはいずれも他作品の基礎資料となっている。「平原の町」は、国境三部作の土台となったし、「血と暴力の国」（"No Country for Old Men"）は、大幅に改稿の後、長編小説として刊行された。〔中略〕そしてまた、驚くべきことに、「血と暴力の国」の著者オリジナルの脚本は、正義の味方がハッピーエンドを迎えるというものであり、悲劇的な物語となった小説版や、その二〇年後の映画版とはまったく異なっていたのだ。（Peebles 42-43）

マッカーシーの『血と暴力の国』は、れっきとしたノベルである。そしてそれは、「グレート・アメリカン・ノベル」の一つであると断言されたとしても、きっと異論が出ないほどの傑作である。だが、その成立過程を尊重するならば、本質的にそれは、マッカーシーによるオリジナル脚本のノベライゼーションでもあったといえよう。つまり、「グレート・アメリカン・ノベル」を希求する作家の夢は、「グレート・アメリカン・フィルム」の夢と表裏一体であった。そして、そのはざまに位置するコーマック・マッカーシーの文学が「グレート・アメリカン・ノベライゼーション」の夢でもあったと考えることができたならば、私たちはすでに、新しい文学／映画史の一行を書き始めていることになるのである。

◉現代日本のノベライゼーション

最後に、本書の序章から第2章にかけて断片的に論じてきた、日本におけるノベライゼーション史の、その後の展開を確認しておこう。

翻訳家の常盤新平は、早川書房の編集者時代をふりかえり、「ノヴェライゼーションというものを最も早く翻訳出版したのは、早川書房だろう」と綴っている。「ハヤカワ・ミステリは初刷は当時五千部だった。私はナポレオン・ソロ〔のノヴェライゼーション〕の売行きにさほど期待していなかった。むしろ、ノヴェライゼーションなんかを伝統あるハヤカワ・ミステリに入れて、評判を落とすほうを心配した。ところが、ハヤカワ・ミステリにしてはびっくりするほどよく売れたのである。〔中略〕一九六五年暮のことである」（常盤　三六八）。

もちろん、常盤のこの言葉のみをもって翻訳ノベライゼーションの起源を特定することはできない。しかし、常盤がそのように言いたくなるほど、一九六〇年代半ばの日本におけるこのジャンルへの注目度は低く、それだけに、早川書房の成功は、他の出版社にとってもまぶしかったはずだ。当時、ヒットの法則を模索していた角川春樹は、やはり早川書房から翻訳刊行された映画原作小説『卒業』（*The Graduate*, 1963）の成功を参考に、映画『ある愛の詩』（*Love Story*, 1970）の原作小説の版権を獲得している（中川　一九）。

ここで重要になってくるのは、ともにベストセラーを記録した早川版『卒業』も、角川版『ラブ・

ストーリィ　ある愛の詩』も、通常の「原作小説」より、ずっとノベライゼーション寄りの書き方をされていたということだ。角川は言う、「〔小説『卒業』の〕原作者のチャールズ・ウェッブは脚本家出身でした。自分なりに書いたシナリオを基に小説にした形で、ほとんどが会話体。私だったら文庫本で出すのになあと思いました」（角川他　一五）。また、角川のインタビューをまとめた清水節によれば、『ラブ・ストーリィ　ある愛の詩』もまた脚本家による小説であり、原作の執筆と映画化が途中から同時進行するという作品であった。その版権を破格のアドバンスで取得した角川は、さらには日本語の下訳も買い取り、そのうえで最終的な翻訳をみずからの手で行なったという――「この他、一冊ごとに〔角川〕春樹はペンネームを変えて、映画のノベライゼーションを自ら訳していた」と清水は報告する（角川他　一六―一九）。

海外の映画原作小説とノベライゼーションの翻訳により、出版界の革命児への一歩を踏み出した角川春樹は、角川書店の社長でありながら角川春樹事務所をも経営し、序章でもふれたとおり、横溝正史原作の映画『犬神家の一族』（一九七六年）を大ヒットさせる。同作を皮切りに、映画作品と原作小説、あるいはそのノベライゼーションをセットにして売り込んでいく角川書店の商法は、一九八〇年代を通じてスタンダードとさえ呼びうるものになっていった。

ところで、角川映画第一作『犬神家の一族』公開の前年にあたる一九七五年三月には、あのテレビアニメ『宇宙戦艦ヤマト』が放映を終了し、その年の一一月には、同タイトルのノベライゼーションが文庫本として刊行されている。レーベルは、株式会社・朝日ソノラマが創刊したばかりの「ソノラマ文庫」。仕掛け人は、アニメ界の剛腕プロデューサー・西崎義展だった。彼とともに企画段階から『宇宙戦艦ヤマト』に関わっていたSF作家の豊田有恒は、このノベライゼーションの舞台裏を、つぎのように語っている。

【図25】『宇宙戦艦ヤマト』の書影

このころ、西崎から頼まれた仕事が、もうひとつ進行していた。それは、ヤマトの小説版である。テレビの放送は決定してはいたもののまだ作業中で、ぼくのSF設定に加えて、松本〔零士〕が登場人物の設定及びデザインを決定した。さらに戦艦大和を採用するという程度の変更しか、まだ定まっていない状態だった。出版メディアにも登場すれば、テレビ放送の時点では、番組宣伝の相乗効果が出ると思われた。今なら、何かのプロジェクトを、ゲーム、テレビ、出版など、トータルメディアでキャンペーンすることは珍しくないが、当時としては画期的だった。こうしたところにも、売れそうな方向性をいち早くキャッチする、西崎のアンテナの鋭さが生きている。

（豊田　一一一）

このように、一九七〇年代半ばの日本では、ほとんど同時多発的にメディアミックス的な商法が発案され、ノベライゼーションもまた、その一翼を担うこととなった。一九七〇年代の終わりには、テレビドラマ『3年B組金八先生』シリーズの放送が開始されるが、同作もまた、原作・脚本を担当した小山内美江子自身によってノベライゼーションが刊行されていった。また、一九八〇年代後半には、映画『ハチ公物語』（一九八七年）のノベライゼーションを、映画本編の脚本を担当した新藤兼人が刊行している。新藤は同書の「あとがき」で、自分はそもそも「『忠犬』というのに抵抗を感じた」ため、「忠義」ではなく「友情」という観点からハチ公の実話をフィクション化したのだと書いている（新藤　一五七）。

映画やテレビドラマの他にも、一九八九年には、人気RPG『ドラゴンクエスト』のノベライゼーションが、エニックスから刊行され始めている。また、一九八七年に始まった『メタルギア』シリーズの第三作『メタルギア　ソリッド』は、二〇〇〇年代に入って、『007』シリーズのノベライザーでもあったレイモンド・ベンソンや、『虐殺器官』（二〇〇七年）でデビューした伊藤計劃といった才能ある書き手により国内外で小説化された。

一九九〇年代の日本映画において、小説との関係でとりわけ目を引くのは、テレビドラマ『打ち上げ花火、下から見るか？　横から見るか？』（一九九三年）の成功で映画界に進出した岩井俊二の活躍だろう。『Love Letter』（一九九五年）や『スワローテイル』（一九九六年）、そして『リリイ・シュシュのすべて』（二〇〇一年）など、同タイトルの映画と小説をみずからの手で制作し発表し続ける岩井のスタイルは、二〇〇二年にアニメ『ほしのこえ』で注目を集め、二〇一〇年代を代表するアニメ監督となった新海誠にも大きな影響を与えた。新海は、『小説・秒速5センチメートル』（二〇〇七年）以降、自身の監督作品と同タイトルの小説を発表している。アニメーション監督による原作小説／ノベライゼーションの執筆は、他にも、映画『バケモノの子』（二〇一五年）を監督した細田守などが実践している。

純文学とノベライゼーションの関係で注目に値するのは、一九九四年、後に現代日本文学で独自のポジションを築くことになる古川日出男が、ゲームボーイ版のソフト『ウィザードリィ外伝Ⅱ 古代皇帝の呪い』を『砂の王』というタイトルでノベライズし、書籍デビューを果たしていることだろう。また、一九九五年には、作家の村上龍が、みずからが監督を務める映画『KYOKO』（一九九六年）と同タイトルの小説を発表している。こうした流れは、二〇〇〇年代に入ると、自作の映画をノベライズした小説『ユリイカ EUREKA』（二〇〇〇年、映画公開は二〇〇一年）により三島由紀夫賞を受賞した青山真治や、同じく三島賞の最終候補作となった小説『ゆれる』（二〇〇六年）で注目を集めた西川美和らの仕事に受け継がれていく。これに加えて、カンヌ国際映画祭でパルム・ドール獲得となった映画『万引き家族』（二〇一八年）の是枝裕和監督もまた、一九九〇年代の終わりから、自身の監督作品の小説版を継続的に発表していることを忘れてはならないだろう。

国民的映画の代名詞『男はつらいよ』シリーズに関しては、二〇一五年に滝口悠生が発表した小説『愛と人生』が野間文芸新人賞を受賞し話題となったが、これは同シリーズの純粋なノベライゼーションではなく、役者本人とその役柄の人生が絶妙に交錯するメタ・ノベライゼーションであった。また、原作者たる山田洋次監督は、寅次郎の少年時代を綴った連載小説を、二〇一八年に『悪童《ワルガキ》小説 寅次郎の告白』というタイトルで単行本化した。これは、タイトルのとおり、車寅次郎が一人称で自身の生い立ちを語るという、オリジナル・ストーリーのタイイン作品となった。

もちろん、こうした映像作家たちの実験的な試みと併走して、職人的なノベライザーも多く活躍している。二〇一〇年代を代表するノベライザーとしては、『この世界の片隅に』（二〇一六年）のノベライザーを担当した蒔田陽平、NHK連続テレビ小説の小説版も手がける豊田美加、寺山修司の原作小説『あゝ、荒野』を映画公開にあわせて再小説化した大石直紀などが挙げられるだろう。

＊

スクリーンから小説へという物語の移植が、じつは見かけほどシンプルではないことは、本書でも繰り返し述べてきた。企画があり、原案があり、脚本があり、プロデューサーがいて、監督がいて、演出家がいて……、芸術的な動機と経済的な動機がぶつかりあうなかで、それでもただ「読者が喜ぶもの」を目指して書き上げられてきたはずの無数のノベライゼーション。

本書では、そうした特異な文芸ジャンルの黎明期から、一九五〇年代の日本に始まった『ゴジラ』ブーム、一九七〇年代のアメリカにおける空前のノベライゼーション・ブーム、ジャン＝リュック・ゴダールの映画とそのリメイク作品に関連して発表されたノベライゼーションと、そのトランスレーション、さらには、世界的なベストセラー絵本『かいじゅうたちのいるところ』の映画化と小説化や、ポストモダン文学の巨匠ドン・デリーロのメタ・ノベライゼーションとも呼ぶべき『ポイント・オメガ』に至るまでの、およそ一〇〇年間にわたるノベライゼーションの歴史を概観してきた。

ときにゴーストライターに甘んじるという屈辱にあい、ときに校正時間を削られたがための致命的誤植を受け入れ、そしてときには完成した映画にあわせて全面改稿を余儀なくされるノベライザーたちの孤軍奮闘。歴史はいつでも未来から書き直されてしまうものだけれど、その未来に向かって流れこみ続ける作家たち一人ひとりの人生を、私たちは忘れてはならない。そう、結局のところ文学史とは、「過去に書かれたもの」の集積であると同時に、「未来に向かって書き続ける物書きたち」の終わりなき物語でもあるのだから。

◉引用文献

角川春樹、清水節『いつかギラギラする日　角川春樹の映画革命』角川春樹事務所、二〇一六年。

クラーク、アーサー・C『決定版　2001年宇宙の旅』伊藤典夫訳、ハヤカワ文庫SF、一九九三年。

新藤兼人『新装版　ハチ公物語』小学館、二〇〇九年。

巽孝之『「2001年宇宙の旅」講義』平凡社新書、二〇〇一年。

常盤新平『翻訳出版編集後記』幻戯書房、二〇一六年。

豊田有恒『「宇宙戦艦ヤマト」の真実――いかに誕生し、進化したか』祥伝社新書、二〇一七年。

中川右介『角川映画　1976-1986［増補版］』角川文庫、二〇一六年。

ベンソン、マイケル『2001：キューブリック、クラーク』中村融、内田昌之、小野田和子訳、添野知生監修、早川書房、二〇一九年。

Buell, Lawrence. *The Dream of the Great American Novel.* Belknap, 2014.

McCarthy, Cormac. *No Country for Old Men.* Knopf, 2005.（＊マッカーシー自身のオリジナル脚本の書誌情報は以下のとおり。“No Country for Old Men.” Unpublished screenplay. Cormac McCarthy Papers Box 79, Folder 5, Southwestern Writers Collection, Wittliff Collections, Texas State University, San Marcos.）

Peebles, Satcey. *Cormac McCarthy and Performance: Page, Stage, Screen.* U of Texas P, 2017.

あとがき

本書は、二〇一七年に彩流社より上梓した拙著『映画原作派のためのアダプテーション入門――フィッツジェラルドからピンチョンまで』の応用編である。前著では、小説がスクリーンになるとき、その過程でいったい何が起きているのかを、主にアメリカ合衆国の近現代小説を対象として分析したが、本書ではその逆に、スクリーンが小説になるときに引き起こされるさまざまな事象を、やはり米文学を中心に据えつつ、日本や欧州の動向にも目を配りながら描出してみた。ただし、本書をお読みいただいた方にはお分かりのとおり、ノベライゼーションとは決して「映画を小説にした」というだけの代物ではない。むしろそれは、映画本編の完成に先んじて書き上げられるもう一つの「本編」であり、実質的には、独立した一本の小説と見なせるケースも少なくないのである。

とはいうものの、ノベライゼーションという文芸ジャンルの最大の魅力は、「小説ではない何かを小説にした」という運動性そのものにある。つまり、何度も観ることの叶わない「劇場映画」の記録データとして味読されたり、多義的な解釈を許す「映像作品」の公式解説本として参照されたり、あるいは、存在しない「原作小説」の代替物として熟読されたりといった具合に、「ただの小説」を読むのとは次元の異なった情熱をもって、読者は書店に並ぶノベライゼーション作品に手を伸ばすのである。

私自身、初めて購入したノベライゼーションは、クレイグ・S・ガードナーの著した『バック・トゥ・ザ・フューチャー2』(新潮文庫、一九八九年)だったが、あのときの衝撃の強さは、今でもはっきりと覚えている。なにしろ、本当に完成するかも分からなかった『2』の劇場公開を知り歓喜した中学一年生の私は、なけなしの小遣いで前売り券を買ったその直後に、この文庫本の存在を知ってしまったのだ。はたして、これを映画鑑賞前に読んでしまうことは、善か悪か。

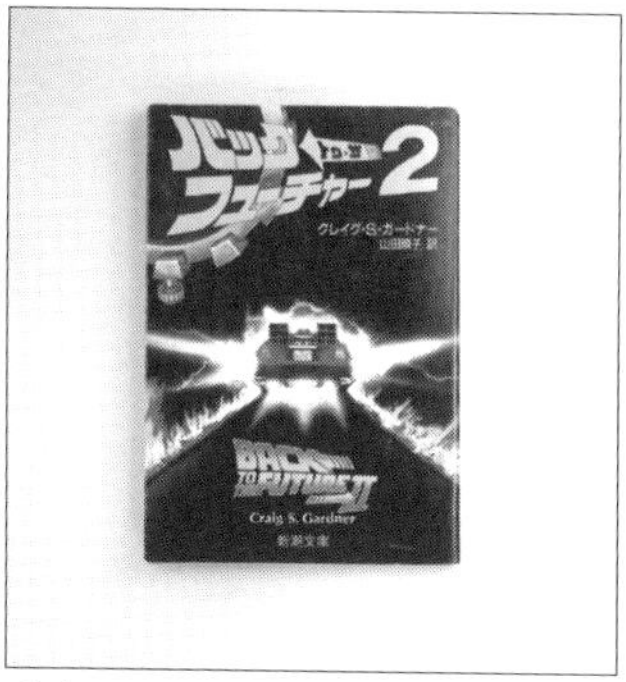

『バック・トゥ・ザ・フューチャー2』の書影

結局、私は映画館に行く日が来る前に、ノベライゼーションを読んでしまった。それも、細部を覚えてしまうくらいに、何度も読んでしまった。そして当日、渋谷の映画館の暗がりのなかで、私はかつてないほどクリアな映像体験をした。

それは、すべて初めて目にするものばかりなのに、自分はすべてを知っているという、デジャブにも似た体験。今回、ノベライゼーション業界を、陰日向になって助けてきた関係者たちの孤軍奮闘ぶりを歴史化し、物語化するにあたり、私のモチベーションとなり続けていたのは、そうしたかつてのピンポイントな歓びであった。きっと、ノベライゼーションを真に楽しむには、あの頃のような、読むという行為に対する無分別な貪欲さが必要とされるのだろう。そうしたことをも痛感しながら、映画ノベライゼーションという世界がもつ豊饒さの、その一端でも示すことができればいいと書き上げた結果が本書である。書店に並ぶノベライゼーションに、これまで以上の熱量をもって向きあってくれる方が一人でも増えたなら、それにまさる喜びはない。

＊

本書は、基本的には書き下ろしだが、第3章、第6章、第7章、終章には、部分的に初出と呼べる箇所がある。まず、第3章で展開したスーザン・ソンタグによるジャン゠リュック・ゴダール論は、管啓次郎先生との共訳書『ラディカルな意志のスタイルズ［完全版］』（河出書房新社、二〇一八年）に収録された私の訳者解説「解釈者から訪問者へ――ソンタグ・リポートの使用法」において展開された議論の一部を圧縮したものである。つぎに、第6章で扱った『かいじゅうたちのいるところ』のアダプテーション／ノベライゼーションについては、共著『高校生と考える21世紀の論点――桐光学園大学訪問授業』（左右社、二〇一九年）でも紹介している。同書は、二〇一八年一一月一〇日に同学園で行なった特別授業を書き起こしたものだ。また、第7章で扱ったドン・デリーロの『ポイント・オメガ』とロバート・クーヴァーの『ようこそ、映画館へ』は、いずれも『週刊読書人』

に寄稿した書評（二〇一九年三月二九日号、二〇一六年一〇月一四日号）を大幅に加筆改稿したものである。そして、終章の「グレート・アメリカン・ノベル」に関する議論は、20世紀文学研究会編『読書空間、または記憶の舞台』（風濤社、二〇一七年）に収録された拙論「選ばれし書物の壊し方――ジョナサン・サフラン・フォア『暗号の木』を「読む」ために」を踏まえたものである。

さて、本書執筆の過程では、多くの方々との貴重な意見交換をさせていただいた。

二〇一八年二月一五日、ジュンク堂書店池袋本店にて行なわれた作家・古川日出男さんとの対談では、小説ならざるものを小説にすることの葛藤と希望がテーマとなった。本イベントは、その後「特別対談　祈りの演奏としてのノベライゼーション」というタイトルで、『作家と楽しむ古典』第四巻（河出書房新社、二〇一八年）に収録された。

その翌年の三月二一日には、明治学院大学言語文化研究所主催のシンポジウム「トランスレーション・アダプテーション・インターテクスチュアリティ２０１９」に参加させていただき、本書の内容について、発表とディスカッションを行なうことができた。

また、二〇一九年一一月三〇日には、母校の千葉大学英文学会にて、講演「アダプテーション研究のはじめ方――映画化と小説化を比較する」を行ない、本書と前著の内容をあらためて比較検討する良い機会をいただいた。各イベントの関係者、参加者の皆様には、心より感謝申し上げたい。

日本において「ノベル」という表記は、「ノベルス」や「ライトノベル」といった、大衆小説とも微妙に異なるニュアンスの文芸ジャンルを想起させるため取り扱いが難しい。しかしながら、およそすべての「小説的作法によって書かれた作品」を「ノベル」とみなし、純文学を頂点とする文化的ヒエラルキーを一時的にでも無効化するとき、文学研究はずいぶんと自由になる。私が今、そうした自由を謳歌できているのも、これまでご指導いただいた先生方および先輩方のおかげである。ことに、巽孝之先生と折島正司先生、そして上西哲雄先生と土田知則先生から受けた学恩は計り知れない。ここに記して、感謝申し上げる。

冒頭にも書いたとおり、応用編である本書には入門編となる前著があったのだが、幸いなことに、いずれの編集も林田こずえさんに担当いただいた。ノベライゼーションの世界の奥深さゆえに、私はときとして道なき道を行くような気分になりもしたけれど、タイミングよく彼女が差し出してくれる地図とコンパスのおかげで、なんとか目的地に辿り着くことができた。あらためて感謝の意を表したい。

最後となるが、物語を語り継ぐことの大切さを教えてくれる家族に、本書を捧げる。

波戸岡景太

ノベライゼーション年表

豊饒なるノベライゼーションの世界。一〇〇年以上の長きにわたるその歴史のなかで、小説化の対象となってきたのは、映画からゲームまでと幅広い。この年表では、本書で言及したものを中心に、紙幅の都合で論じることの叶わなかったノベライゼーション作品についても、可能なかぎり紹介するようつとめた。

年代	世界のノベライゼーション	日本のノベライゼーション
一九一〇	エジソン・スタジオの連続映画『**メアリーに何が起こったのか**』が、雑誌連載や舞台劇と同時期に公開される（一二）。翌年、雑誌と舞台脚本をもとにしたノベライゼーションが刊行（一三）。	日本最初期の映画雑誌『活動写真界』（〇九年創刊）に、映画の筋が掲載される。発刊の趣意では、映画の内容をあらかじめ知ることの重要性がうたわれる。
	「シカゴトリビューン」紙が、連続映画『**キャスリンの冒険**』と連動した新聞連載小説を企画する（一三）。	仏映画『**怪盗ジゴマ**』が大流行し、海賊版ノベライゼーションが多く出版される（一一）。
	仏映画『**レ・ヴァンピール　吸血ギャング団**』が、七分冊でノベライズ（一六）。	米映画『**名金**』を、荒畑寒村が竹内断腸花名義でノベライズ（一六）。
一九二〇	T・フォン・ハルボウによるドイツ小説『**メトロポリス**』が雑誌連載後、映画公開にさきがけ単行本化（二五―二六）。	大阪の榎本書店より、洋画の脚本を翻訳した「キネマ文庫」創刊（二一）。
	米映画『**真夜中のロンドン**』が、英米と仏でそれぞれにノベライズ（二七―二九）。同作のフィルムは六七年の火災で焼失。	映画『**荒木又右衛門**』の「映画小説」刊行（二五）。巻頭に「尾上松之助氏一千本記念映畫『荒木又右衛門』の見たまゝであります」とある[*1]。
	仏映画『**裁かるるジャンヌ**』を、脚本家ピエール・ボストがノベライズし、ガリマール社より出版（二八）。	小説『**メトロポリス**』が、改造社の円本として翻訳刊行。ルースの小説『**殿方は金髪がお好き**』も収録（二八）。
一九三〇	米映画『**キング・コング**』を、D・W・ラヴレースがノベライズ（三二）。	映画『**何が彼女をさうさせたか**』のノベライゼーションが、トーキー文庫より刊行（三〇[*2]）。
	ルノワール監督の仏映画『**ゲームの規則**』が、政治新聞にてノベライズされた後、単行本として刊行（三九）。	永井荷風が、「**浅草交響曲**」と題した「映画筋書」を執筆（三八）。

一九四〇	米漫画『**ディック・トレイシー**』が映画化され、「エース・ディテクティブ」という副題がついてノベライズ（四三）。 米映画『**私は殺される**』の原作となったラジオドラマが、劇場公開にあわせてノベライズ（四八）。	雑誌『ユーモアクラブ』に、映画『**あなたは狙はれてゐる**』の「映画小説」が掲載（四二）。 雑誌『大映ファン』に、映画『**時の貞操**』の「映画小説」が掲載（四八）。
一九五〇	米映画『**大アマゾンの半魚人**』が、イギリスでノベライズ（五四）。 仏映画『**ぼくの伯父さんの休暇**』を、脚本家カリエールがノベライズ（五八）。	映画『**ゴジラ**』と続編『**ゴジラの逆襲**』を、原作者の香山滋がノベライズ（五五）。 作家の里見弴が、小津安二郎の依頼で映画『**彼岸花**』の原作を書き下ろす（五八）。
一九六〇	キューブリック監督作品『**博士の異常な愛情――または私は如何にして心配するのを止めて水爆を愛するようになったか**』を、原作小説『破滅への二時間』（五八）の作者であり脚本にもかかわったP・ジョージがノベライズ（六三）。 アメリカ映画『**ミクロの決死圏**』を、SF作家アシモフがノベライズ（六六）。八七年には続編小説も発表。 アメリカのテレビシリーズ『**スター・トレック**』、放送開始翌年に初めてのノベライゼーション刊行（六七）。 クラークのSF小説『**2001年宇宙の旅**』が刊行（六八）。	司馬遼太郎が、石原裕次郎の依頼で映画『**城取り**』の原作に着手するも、撮影開始に間にあわず、映画完成後に小説『**城をとる話**』の新聞連載を開始（六五）。 ハヤカワ・ミステリからアメリカのテレビドラマ『**ナポレオン・ソロ**』シリーズのノベライゼーション刊行が始まる（六五）。 映画『**卒業**』の原作小説が早川書房から翻訳刊行。ベストセラーとなる（六八）。 アメリカのテレビドラマ『**インベーダー**』が、ハヤカワ・SF・シリーズより刊行（六八）。

一九七〇	ホラー映画『**オーメン**』の小説版が、アメリカ国内で五〇〇万部のセールスを記録。ノベライゼーションブームが起こる。同年、映画『**スター・ウォーズ**』および『**ロッキー**』のノベライゼーションも刊行される（七六）。 英米合作映画『**カプリコン・1**』が両国の異なる作家によってノベライズされる（七八）。 映画『**ジョーズ2**』のノベライズ刊行。同年、スタローン主演映画『**フィスト**』のノベライゼーションが発売されるも商業的に大失敗する（七八）。	米映画『**ある愛の詩**』の原作小説が角川文庫から翻訳刊行。ミリオンセラーを記録（七〇）。 テレビ人形劇『**新八犬伝**』のノベライゼーションが、三分冊で刊行される（七四―七五）。 テレビアニメ『**宇宙戦艦ヤマト**』のノベライゼーションが、同年創刊のソノラマ文庫より刊行（七五）。
一九八〇	ホラー作家クーンツが別名義で、ホラー映画『**ファンハウス**』のノベライゼーションを刊行（八〇）。 フレミングの後継作家となるガードナーの新「**ジェームズ・ボンド**」シリーズが始まる（八一）。 映画『**勝手にしやがれ**』のハリウッド版リメイク『**ブレスレス**』がノベライズされる。同年、『**勝手にしやがれ、メイド・イン・USA**』のタイトルで仏語版が刊行（八三）。	映画『**刑事珍道中**』を、脚本担当の鎌田敏夫がノベライズ（八〇）。鎌田はその後、自身が手がけたテレビドラマ『**金曜日の妻たちへ**』などもノベライズする（八五）。 テレビドラマ『**あ・うん**』を、脚本担当の向田邦子がノベライズ。向田にとっての唯一の長編小説であり、遺作となる（八一）。 リメイク映画『**ゴジラ**』の公開にあわせ、五四年版と八四年版の『**ゴジラ**』、ならびに『**モスラ対ゴジラ**』のノベライゼーションが、同年創刊の講談社X文庫から刊行（八四）。

	キャメロン監督作品**『アビス』**を、SF作家カードがノベライズ（八九）。 マイケル・ダグラスと松田優作らが共演した映画**『ブラック・レイン』**を、ノベライザーのマイク・コーガンがノベライズ（八九）。	映画**『ハチ公物語』**を、脚本担当の新藤兼人がノベライズ（八七）。 ゲーム**『ドラゴンクエスト』**シリーズのノベライゼーション刊行が始まる（八九）。
一九九〇	ディック原作の映画**『トータル・リコール』**を、SF作家ピアズ・アンソニーがノベライズ（九〇）。 ウォーレン・ベイティ監督・主演作**『ディック・トレイシー』**を、グラフィックノベル『ロード・トゥ・パーディション』シリーズの原作者コリンズがノベライズ（九〇）。 仏新濠の合作映画**『ピアノ・レッスン』**を、監督のカンピオンと作家のプリンジャーがノベライズ（九四）。 ベッソン監督作品**『フィフス・エレメント』**を、SF作家ビッスンがノベライズ（九七）。 クローネンバーグ監督作品**『イグジステンズ』**を、SF作家プリーストがノベライズ（九九）。	テレビドラマ**『古畑任三郎』**を、脚本担当の三谷幸喜がノベライズ（九四）。 映画**『KYOKO』**を、監督・脚本を務めた村上龍がノベライズ（九五）。 映画**『Love Letter』**、**『スワロウテイル』**を、監督の岩井俊二がノベライズ（九五、九六）。 映画**『宮沢賢治――その愛』**、**『キッズ・リターン』**を、「リライター」を自称する田村章がノベライズ（九六）。 映画**『Shall we ダンス?』**を、監督の周防正行がノベライズ（九六）。

二〇〇〇	グラフィックノベルを映画化した『**ロード・トゥ・パーディション**』を、原作者コリンズがノベライズ（〇二）。 ジャクソン監督によるリメイク映画『**キング・コング**』の公開にあわせ、ラヴレースのノベライゼーションが「モダンライブラリ・クラシックス」シリーズに加わる（〇五）。 バーホーベン監督の母国オランダで撮影された映画『**ブラックブック**』を、監督みずからオランダ語でノベライズする（〇六）。 映画『**かいじゅうたちのいるところ**』を、原作者センダックの勧めで、脚本を担当した作家のエガーズがノベライズ（〇九）。	映画『**ユリイカ　EUREKA**』を、監督の青山真治がノベライズし、三島由紀夫賞受賞（〇〇）。 映画『**その男、凶暴につき**』（八九）を、脚本担当の野沢尚が小説『**烈火の月**』として刊行（〇四）。 映画『**ゆれる**』を、監督の西川美和がノベライズし、三島由紀夫賞候補（〇六）。 ゲーム『**メタルギア　ソリッド**』を、フレミングの後継作家でもあるベンソンがノベライズし、日本でも翻訳刊行される（〇八）。
二〇一〇	エドワーズ監督作品『**GODZILLA　ゴジラ**』のノベライゼーション刊行（一四）。 映画『**シェイプ・オブ・ウォーター**』を、監督のG・デル・トロが、D・クラウスとともにノベライズ（一八）。	映画『**男はつらいよ**』を、作家の滝口悠生がメタ・ノベライズした小説『**愛と人生**』刊行（一五）。 映画『**男はつらいよ**』の前日譚を、山田洋次監督がノベライズした『**悪童（ワルガキ）　小説　寅次郎の告白**』刊行（一八）。

＊1　池田富保（原作）『映画小説　荒木又右衛門』日活画報社、一九二五年。

＊2　映画研究者・太田米男の報告による。太田米男「映画の復元――『何が彼女をそうさせたか』（1929）に関して（Ⅱ）」『藝術』第二四号、大阪芸術大学芸術研究所、二〇〇一年、一〇八―一二一ページ。

【著者】

波戸岡 景太

(Keita Hatooka)

1977 年生まれ。慶應義塾大学大学院後期博士課程修了。博士（文学）。
ネヴァダ大学リノ校客員研究員を経て、現在、明治大学教授。
研究領域は、日米の現代小説と表象文化。
著書に、『教師の悩みは、すべて小説に書いてある』（小鳥遊書房）、
『映画原作派のためのアダプテーション入門』（彩流社）、
『ロケットの正午を待っている』（港の人）、
『ラノベのなかの現代日本』（講談社現代新書）、
『動物とは「誰」か？』（対談集、水声社）、
『コンテンツ批評に未来はあるか』（水声社）、
『ピンチョンの動物園』（水声社）、
『オープンスペース・アメリカ』（左右社）がある。
翻訳書として、管啓次郎との共訳『ラディカルな意志のスタイルズ』
（スーザン・ソンタグ著、河出書房新社）など。

映画《えいが》ノベライゼーションの世界《せかい》

スクリーンから小説《しょうせつ》へ

2020 年 2 月 15 日　第 1 刷発行

【著者】
波戸岡 景太

発行者：高梨 治

発行所：株式会社**小鳥遊《たかなし》書房**
〒 102-0071　東京都千代田区富士見 1-7-6-5F
電話 03 (6265) 4910（代表）／ FAX　03 (6265) 4902
http://www.tkns-shobou.co.jp

装幀　坂川朱音（朱猫堂）
印刷　モリモト印刷（株）
製本　（株）村上製本所

ISBN978-4-909812-26-1　C0074